U0147895

快樂生活與財富投資寶典

有錢的人生，一定比較快樂嗎？
沒錢的生活，就會沒有快樂嗎？

李樑堅 著

麗文文化事業

■ 國家圖書館出版品預行編目（CIP）資料

快樂生活與財富投資寶典 / 李樑堅著. -- 初版.
-- 高雄市：麗文文化事業股份有限公司, 2022.11
面；　公分
ISBN 978-986-490-207-1（平裝）

1.CST: 投資　2.CST: 理財　3.CST: 財富　4.CST: 成功法

563.5　　111017498

快樂生活與財富投資寶典

初版一刷・2022年11月

著者	李樑堅
封面設計	黃士豪
發行人	楊曉祺
總編輯	蔡國彬
出版者	麗文文化事業股份有限公司
地址	802019高雄市苓雅區五福一路57號2樓之2
電話	07-2265267
傳真	07-2233073
網址	www.liwen.com.tw
電子信箱	liwen@liwen.com.tw
劃撥帳號	41423894
購書專線	07-2265267轉236
臺北分公司	100003臺北市中正區重慶南路一段57號10樓之2
電話	02-29229075
傳真	02-29220464
法律顧問	林廷隆律師
電話	02-29658212

行政院新聞局出版事業登記證局版台業字第5692號

ISBN 978-986-490-207-1（平裝）

麗文文化事業

定價：320元

第三章

財富的計算及等級分類

第四章

投資理財寶典

第五章

社會的回饋與財富思維

第六章

兼具快樂與財富的人生

第七章

結語

推薦序

富有是心理、理財是為圓滿人生

我在個人理財第一堂課會問學生：「理財目的是什麼？」答案不外乎是發大財、還債、買車、購房、環遊世界……五花八門；學生反問我的理財目的，我會用拇指食指比一個圓圈手勢，或是在黑板畫一個大圓圈，「喔～老師理財目的也是為了錢！」、「當然不是！理財目的是為了圓滿人生！」

理財投資賺錢是手段、是過程，但不是最終目的。即使成為世界首富，失去健康、沒有和樂家庭，又如何能夠擁有快樂圓滿的人生？所以理財的目的是要在財富、家庭、健康、事業等面向取得均衡，才能夠成就圓滿的人生。

真正的富有是心理的，心若感知足，簞食瓢飲亦樂在其中！心若不知足，即使已成首富仍會汲汲營營為錢所奴役，這樣又與窮人日常何異？！

樑堅兄博聞多識，利用公餘片段閒暇時刻，寫作著書自娛育人，此次撰寫《快樂生活與財富投資寶典》，這本書不同於坊間傳統理財投資書籍，沒有艱澀專業術語，反而都是日常周遭常會遇到的生活理財話題，他將其財金教授、財政局長、產業顧問所累積的多年經驗，匯聚而成理財與生活智慧。因此，這本書與其說是財經專業叢書，不如說是一本融入人生智慧的理財寶典。

在當下炎炎夏日、酷暑難耐之際，各位讀者不妨倒杯冷飲、安頓身心，靜心瀏覽這本平易通俗，就像老朋友口述的理財智慧，細心體會「富有是心理、理財是為圓滿人生」，相信您也能在紛擾多變的年代中，擁有財富與快樂的正向人生！

義守大學校長

陳振遠 謹識

2022年7月12日

推薦序

博學識廣談理財

今天收到義守大學李副校長樑堅兄之來函，邀請我就其最近所撰寫的一本人生系列專集寫幾句話。本人前些時日眼睛動手術視力較弱，無法快速閱讀大作全文，只能扼要提出一點淺見。

幾年前，本人在義守大學財務金融系擔任四年客座講座教授，曾與樑堅兄一起合作開課。由於課程內容可以盡量發揮，才見識到他的「博學識廣」；除了財金課程學有專長，也對各項人生哲學涉獵甚廣，甚至對學術行政工作、政治公眾活動也積極參與。

本書從貧窮說到財富累積，特別強調各項投資理財必須注意的重點，並提醒讀者應在擁有相當財富之後，積極樂善好施，回饋社會，走向快樂的正向人生。本書提出若干人生哲學理念，均是作者自己親身體悟，值得進入社會工作者或學校同學們予以參酌，特予推薦。

前財政部長

李庸三 謹識

2022年7月15日

序

邁向擁有財富與快樂的正向人生

人自出生開始，就開始跟錢有了連接關係，好運的人生，一生不愁錢，辛苦的出生，一輩子都在打拚，只為了賺錢來餬口，然而有錢的人生，就比較快樂嗎？沒錢的生活，就會沒有快樂嗎？為了探詢這一個道理，開啟了我想撰寫財富與快樂的書籍，希望跟各位讀者一起來分享及分析。

俗語說：「有錢能使鬼推磨」，說明了錢有很大的用處，許多事情好像可以用錢買得到。然而電影或電視劇都經常演出，女主角喜歡上沒錢的男主角，另一個有錢的人卻強娶女主角，然而一輩子的生活都不是很好。歷歷在目的情節都在告誡我們，姻緣不是如此，有時不是用錢可以買得到，然而現代社會，卻經常看到許多拜金女子，只要男生有錢供其花用，就會跟著男生到處亂來，有時候心裡會問，女生愛的是錢嗎？還是愛慕虛榮，奢求吃好、用好呢？而如此的女生真的是好的終生伴侶嗎？

「金錢萬能」，確實有錢可以做很多春秋大夢，可以買來許多物質滿足，也變成許多人生的夢想及實踐許多計畫，如環遊世界、買了LV包包及穿上PRADA名貴的衣服、吃大餐，想花就花的生活世代，可是一旦錢花光了，對自己面臨的沒錢世界又如何自處呢？所謂「由儉入奢易，由奢返儉難」，花錢容易，賺錢困難，一旦養成壞習慣，對於自我的未來人生就一定是對的嗎？在以往現金卡盛行的年代，因為電視廣告效果，借錢似乎很容易，沒有錢一樣可以有錢花，許多人就開始一卡借一卡的日子，結果形成卡奴，還不起的卡債，一輩子都處在還錢的惡夢中，而且無法翻身，終究只是貪圖一時的享受罷了，這也不是正確的人生觀。

快樂是需要培養的，用花錢獲取的短暫快樂，往往只是曇花一現，一旦花錢的滿足感消失，接下來是否要用更多的錢獲取的物質生活才能有快樂產生呢？反之在心靈獲得滿足，快樂自然而成的過程是否較為實在呢？

快樂的型態有許多種，有的是獲得讚美而快樂，有的人是得到成就感的快樂，有的是朋友相處談心的快樂，有的是找到愛情的快樂，有的是賺到大錢、挖到寶藏的快樂，因為快樂是多元的，所以透過金錢獲取的快樂是否會比較短暫呢？而內心充滿法喜，受到他人尊重，講話得到肯定的過程，是否會比較快樂？好的快樂是持續地，是有良好回憶的資產，是值得大笑而泣的，如同比賽得到冠軍，打敗對手，獲得勝利，努力總有代價那種喜悅的滿足，往往是難以形容地，因此培養快樂的情境，具有歡樂心是很重要的。其實有時候有錢人是不快樂的，因為隨時怕被綁架、被搶、被偷等等的恐懼及不安，甚至要加裝監視器及保全，才能安心睡覺及生活，有時候想起來，這樣有比較好嗎？

有的人會說，沒錢是很痛苦的，因為許多事情都做不了，而且在社會上跟人相處也會很不容易，也會被看不起，甚至避之唯恐不及，每日生活都很辛苦，有時候還要去乞討才有飯吃，這樣的生活真的好嗎？因此擺脫貧窮，似乎也是人生重要的一環。

為了要享有較好的生活及擁有一定的金錢，因此應該如何創造自己的財富，就必須要用心實踐，除了提升自己工作的正常收入外，開始累積第一桶金，進而逐步建立投資理財思維，並從股票、債券、外幣、黃金、基金、房地產，甚至藝術品等，以及最近相當流行的ETF中，選擇自己偏好的金融商品及項目進行投資，也是人生必要的學習步驟，如此才能突破創造財富的界線，進而完成財富的目標，去安享退休生活。因此自己生活目標之建立，要過何種生活型態，也是要早一點去規劃，如此才有具體的努力目標可以去達成。當然資產的配置原則，也不要孤注一擲集中在單一項產品，那是在賭博，不是在投資，也不是我們應該追求的做法。而人到退休，如何保有一個充足圓滿的快樂人生，擁有老本也是重要之一環，其他如老伴、老友、老身、老趣共五老之建立，也是可以在人生學習及掌握之推動標的。因此在追求財富及快樂生活的同時，是否先要讓自己先立於不敗之地，當然我們不是一定要生活在巨富、中富等級，那至少也要進入中產階級，才可以有比較自在的人生，因為有了錢，才可以去完成人生的許多夢想及理想，沒有錢也不是就不快樂，但沒有許多缺憾，如何邁開沒錢的煩惱，進入有錢的世界，去建立一個快樂與財富共享的人生，仍然是可以當作人生的終極目標，但千萬不要有了錢卻不快樂，沒有錢更不快樂，這不是我們想去鼓勵及推動的人生境界。

但人生要追求多大的財富才能滿足呢？俗語說：慾望無限，有錢的人還想要更多錢，因此每人汲汲營營就想賺更多錢，然而如果墜入如此的思維循環，未嘗不是人生的苦事，因為自己無法跳脫金錢的束縛，落入金錢的迷魂陣中，而無法自拔，以中國大陸而言，胡潤榜的首富，許多不會有好的下場，很快第一名的稱謂就會拱手讓人，因為政府開始關注你的一舉一動，一旦逃漏稅或有違背政府法規的狀況發生，就馬上被處理掉，如此的首富有比較好嗎？

人有錢，是上天帶給你的祝福，但也希望可以多做善事，回饋社會，而不是讓後代子孫享有大量好處，不勞而獲。因此有錢就是善盡自己的社會責任所在，要能回饋捐助社會需要援助及救助的人，才是基本人生道理，所以有錢的財富配置是很重要的，千萬不要只是寵愛小孩而不懂回饋社會公益，這樣是不好的，因為上蒼要你有錢，都是有目的，也希望自己能覺察，主動去做一些善事，才能累積自己的功德，福蔭子孫，也才能把金錢可以發揮扮演成最佳價值，因此在人生的道路上可以一起共勉、相互提醒。

錢當然不是萬能，但沒有錢卻是諸多萬萬不能。因此建構一個擁有投資理財新思維，並能掌握永續傳承技巧及理念的現代人，也是必要的學習歷程，當然期間都會面對許多挑戰及衝突，也不一定可以走得很坦順，畢竟人生都要接受很多考驗及磨練，但是要記得一點，積德行善，建立自己的善循環、累積自己的善觀念，乃是人生修行的重要過程，千萬不要一有了錢，就忘了自己的初心本命，如何回饋社會及做好公益付出，這是基本的人生態度，也需要一點一滴去累積。而這些想法及做法，當然也需要各位世間大眾，要傳承給下一代的子子孫孫，如此家族永續，才能有較好的圓滿結局。

本書的完成，在此也要感謝我的秘書黃舒屏小姐及趙文彬老師協助整理繕打資料，也對於前財政部李庸三部長與義守大學陳振遠校長的推薦表達感謝之意。

義守大學財金系教授兼行政副校長

李樑堅　敬上

於義守大學2022.7.4

第一章

財富的功能與有錢人的生活挑戰

1. 為什麼要累積財富，變有錢

有錢人生要惜福
積德行善蔭子孫
諸惡莫作要戒慎
傳承百年嘉名順

人生在世，需要生活，而生活的內涵，就需要用錢去買東西，去滿足人的價值欲望及需求，所以許多人希望賺越多錢越好，這樣在追求物質的人生目標就可以達成，古語有云：「人為財死，鳥為食亡」，許多人一輩子都在為了賺錢而窮盡一輩子的心力，而所謂享盡榮華富貴，亦即在生活條件及內涵上都有相當高品質的水準，甚至超越一般人的感受，而到了極盡奢華之能事。可是財富的累積總有一個上限，就算成為世界首富，是否人生的目標就已達成了呢？如同美國特斯拉公司馬斯克，除了財富的累積，尚有懷抱諸多超越人類的夢想，因此其一舉一動總是受到世人的注目，而反差如中東若干產油國的王公貴族，坐擁豪宅及名車，出入有僕役，飲食部分也極盡奢侈，可是如果沒有為世人留下一點貢獻，則世人的評價又有什麼可留念？

因此有錢固然是人生的重要事，但有錢，累積財富，真正追求人生的價值與目標又何在，是否有得到世人的嘉許及稱讚，還是另一種惡名：守財奴、一毛不拔、吃人不吐骨頭、為富不仁等其他不當稱號？而且如果錢財來自不義之行，則世人的評價又是如何？這些都是在追求財富的過程要去深思的所在。

當然有錢很好，因為「有錢能使鬼推磨」、「有錢好辦事」，所以有錢確實可以協助人們完成諸多人生的夢想，或是想積德行善，救助窮人，也是要以有錢為前提，才能實踐夢想及理想，這是有錢可以做到的好處。有了錢，也可以滿足自己的興趣，去推動或實踐一些事物，例如自己喜歡畫畫或吹奏樂器，就可以順著自己的興趣去完成人生的理想，甚至把它做到盡善盡美，成為廣世流傳的巨作；或請工匠做出曠世不朽的名琴，可以演奏出完美無瑕的樂章；或投入相關研發或科學探勘之作，來改善人類的生活或協助做好某些科學成就的突破，如癌症藥物的研發或太空的探訪等。這些也是要有錢才能完成，如同馬斯克發射低軌道衛星，以後可以作為太空旅行，甚至比NASA的投入成本及花費更少，這就是造福人類的本事，當然也要有金錢的投入才能有所突破及進步。

在宗教世界中，也經常看到有人捐錢蓋廟或還願捐助宗教事務，這也是金錢的具體功效及價值，因此金錢如果用在滿足自己個人私慾及享受的層級，只能屬於比較基本生活的淺層滿足，而有錢如果能開展人類的幸福價值或是累積行善付出的投入，或是關懷人類在科技及醫療的相關突破，這又是另外一種高層次的金錢作用及價值創造，也比較能成為大眾所樂於見到的金錢功能。

另外有錢能照養自己及家庭，也比較不會成為社會的麻煩製造者，而有些人鋌而走險，為了賺錢、搶錢不擇手段，破壞社會管理秩序，這反而不是人們所認可的賺錢、有錢。而更為糟糕的是為了賺錢而販毒、詐賭、詐騙等做法手段，則更是天理所難容，也不是人們應該追求的方向及目標。

所以金錢或財富規劃端視自己的追求目標而定，從基本層次，到中高層的價值創造的財富觀，應該才是人們奮鬥的主軸。

2. 有錢人的生活挑戰

有錢很好，可以住好的房子、吃好的餐飲，可以出國遊樂，可以買很多東西，也提供子女好的教育環境，但是有錢人也有許多煩惱及痛苦，不為人知。

錢太多，怕被綁架，生活不自由，還要請保鑣

有的人錢太多，就怕招搖，生活也要很小心，出門怕被跟蹤，小孩及自己怕被綁架勒索，甚至被撕票，這也許是有錢後始料未及的事。

財產太多，子女分配不均，引發兄弟鬩牆，打官司，甚至親情決裂

財產太多，如何公平均分子女，總是很難處理，尤其死後遺產的繼承，如果沒有事先安排，經常就是家庭失和，兄弟反目成仇的狀況，為了爭奪財產，打官司、互相告來告去。一個圓滿和諧的家庭，從此走上不歸路，真是情何以堪，在最近鬧得沸沸揚揚的長榮集團家族，之前台塑王永慶過世，引發王文洋與三娘李寶珠之爭，新光集團的兄弟之爭等等，比比皆是。

早期的企業家或有錢人，有時多會娶二個老婆以上，因此在分產上，也會衍生諸多爭議，甚至撕破臉，對於有錢人內心也是造成諸多的困擾與感傷。

有了錢，是非也比較多，包括被借錢或拉贊助，捐贈者甚多，有時也是不堪其擾，不知如何因應。

◎有錢人在家也怕被偷、被搶，因此都會加裝保全，生活也相當不自在，總是在擔心受怕

有了錢，風聲走漏，外加住的房子很豪華，也會引起別人的忌妒，以及小偷的關注，諸如行竊者也是會有，因此也需要強化自我安全保護機制，以防止不當壞人侵入，若干社會案件也時有所聞。

◎有錢的上一代，也很不喜歡第二代或第三代不學好，形成敗家子，或敗家孫，把老一代辛苦賺的財富揮霍一空

有錢人也很擔心自己的第二代、第三代沒有承襲好的門風，一旦受到外在的誘惑或引導，做了錯誤的投資或賭博、吸毒、或其他壞事，總是讓老一輩的人心裡不能接受，也要經常處理善後，如此也是相當痛苦。

◎有錢人自己容易交到壞朋友，被設計、陷害或設局拐騙，把財產騙到一場空，這也是有錢人自己要修持及培養正念之所在

有錢人也很容易招蜂引蝶，一大堆阿貓阿狗的酒肉朋友，狐群狗黨的人就會有所設計，甚至設局來坑殺，做手腳而誤入騙局。

◎有錢人過度沉溺自己，欲望無窮，也做出一些非法或不正當的手段，以為有錢能擺平一切，到頭來是悔不當初

有錢人生活比較放蕩，不知節儉自持，容易亂花費或購買一些不該買的事物，形成浪費，甚至為了要博取自己的樂趣，做出一些不合法或傷天害理、傷風敗俗的事，結果東窗事發，就難以彌補。

3. 有錢人該有的正心、正念

今天這輩子有錢，可能是之前幾輩子累積的福分，有時也是老天爺希望你去完成一些事情，如果為富不仁或當守財奴，不知好好運用財富去做一些有意義的事，到頭來都是一場空，因此對有錢人的行為及態度建議如下：

◎ 要懂得感恩及珍惜

今天有錢，可能是運氣，有些是自己努力打拚得來，但總要抱持感恩的心，珍惜得來的財富，要能好好善用，而不是膚淺使用。

◎ 要懂得回饋及付出

有了錢，取之於社會，用之於社會，對於社會弱勢及窮困人家，要能發揮回饋的心情來予以救助。

◎ 要懂得教育子女，建立良好的家風門規

有錢很好，但不能看不起人，更不能拿了錢就想當大哥，予取予求，這都是對財富及金錢最差的運用，也是禍及子孫的開始，因此要建立子孫良好的金錢觀。

◎ 要能善用財富，發揮財富最大的利用價值

財富不是一人獨享，也要對社會積極地投入，讓財富可以實現最大的價值，因此不要當守財奴一毛不拔，這是相當不道德的。

◎ 要「當用則用、當省則省」

有了錢就養成好逸惡勞的習性，就胡亂使用錢財，很快地財富被拿走，就不會永久保持。

◎ 要充實正確的投資理財觀，推動財富永續的傳承精神

有了錢，更要能建立好的投資理財做法，如此才能讓財富發揮永續的精神，家族財富才能延續到下一代，因此若干有錢人開始用信託方式來管理家族財產。

◎ 有了錢不要被財富沖昏頭，以為金錢萬能

錢不是萬能，但沒有錢是萬萬不能，因此有錢的人，要知道如何保存財富，如何善用財富，而不會把金錢視為無所不能的工具，而做出不合適的行為。

4. 財富的功能及價值

「有錢真好」、「沒錢煩惱更多」，到底財富擁有代表的意涵是什麼？人有了財富，在心靈上、物質生活上及一般生活互動過程，到底會產生引發那些功能及價值。

財富的功能

作為購買產品或勞務支付的代價：人的生活總需要有一定的生活產品或尋求的服務，而這些都需要以金錢支付，也才能滿足基本生活的欲望。

作為完成人生夢想的實踐利基：在人生追求過程，總會懷抱著若干希望及憧憬，而這些願望的達成，則需要財富的支付才能達標，如環遊世界、出國旅遊、購買特定需求產品。

作為凸顯個人人格的一種表徵：因為有了一定的財富，相對的人際關係經營，也有了一定互動的基礎及能力負擔，因此也凸顯一定程度的個人人格。

作為推動若干事務的重要助力：為了要完成某些事情或任務，在過程中必須要藉助金錢財富的力量，以進行相關事務的落實，因此形成一種重要的推動力來源，如從事公益付出或協助若干項目。

作為滿足不斷提升財富的相對工具：一旦有了錢，就可以進一步用錢來養錢、賺錢，形成一種無限循環的狀態，意即可綿延不斷地產生財富，讓財富累積越來越多。

作為傳承後代子孫的重要代表力量：繼承財產或財富已成為華人世界的普遍期待，而更大的財富繼承，則是讓後代子孫享受更好的生活品質所在。

作為人際交往的另類炫耀工具：有錢人的生活會物以類聚，也會搭起有錢人共同生活及享受的橋梁，因此有錢人的生活型態也會影響人際關係互動往來的基礎。

◎財富的價值

對於財富相對於在人類生活的內涵中，也代表若干具體價值及功能，茲敘述如下。

貨幣購買力：利用財富可用來購買生活必需品，甚至奢侈品。也可以落實完成人生夢想或任務的達成：「有夢最美，但能完夢最好」，人經常對自己有一些期許的工作目標及內心的夢想世界，而財富的提升則是可以達成若干人生的夢想及目標。

滿足若干創造快樂活動：財富是可以協助自我創造一些快樂的活動或也可以滿足需求。

支付若干產品或服務的金錢：人的生活需要用到產品或無形的服務來完成，每天日常生活的活動透過支付金錢來購買合適的內容，可以相對把財富的價值發揮到淋漓盡致。

有了財富，生活可以如虎添翼，也可以利用財富來支付所需購買的產品或服務，以完成生活所需；反觀如果沒錢，就需要比別人多付出一些代價來取得他人的認同及肯定，但是擁有財富表現的態度如果很高傲，經常會得到反效果，因此不要有了財富就覺得自己很偉大，人生就會變得很危險，因為會忘記自身的能力及影響力，而做出及說出不符邏輯的誇大決策及生活作為，甚至會把財富推向更遙遠的地方而無法觸摸。

第二章

貧窮人的生活挑戰及如何擁有快樂

1. 貧窮人的生活挑戰

沒錢世代要爭氣
擺脫窮忙有毅力
人生並非一身貧
突破困境創驚奇

在人世間，沒有錢，或是財富少，生活就會很辛苦，當然，之前孔子就稱讚顏回「一簞食，一瓢飲，回也不改其樂」，有的人能夠苦中作樂，物欲少的生活，有時心靈也會很平靜，但在現在社會似乎不容易，而沒錢人的生活面對的挑戰是什麼？

基本生活開支不易滿足，沒有好的生活品質

開門七件事，柴米油鹽醬醋茶，總是需要花錢，才有基本的生活可以滿足，否則就要去借或賒，生活過起來總是相當辛苦。

子女就學也會捉襟見肘

子女上學要買課本，交學費，要買鞋子、文具，要交各式費用，要畢旅，總是要用到錢，但是沒有錢去支付，就要去借錢，久而久之，親戚朋友都會避之唯恐不及，躲得遠遠地，而在子女心中也會留下陰影。

家人容易抱怨為何如此痛苦地生活

所謂「貧賤夫妻百事哀」，總會因為沒有錢而引發一些爭吵及抱怨，家中也會不太安寧，夫妻因而離異者，也不在少數，子女被迫棄養或送給別人養育者，也時有所聞，這些都是貧窮生活的某些場面。

◎ 子女在家中無法得到生活的滿足，轉而到外打拚，或找尋依靠的對象，甚至就變壞，誤入歧途

由於子女生活無法獲得溫飽，有些小孩就只好向外謀求支持，有時被幫派吸收，就走入人生的不歸路，更難翻身。

◎ 親戚朋友較不易往來，避之唯恐不及

所謂「富居深山有遠親，貧居鬧市無人問」，親戚朋友有時也很現實，對於窮人親戚擔心借錢或救助，有時也會給人軟釘子碰，不想多互動，甚至裝作不認識，這也是窮人自怨自艾的所在。

◎ 朋友較少，被人看不起

朋友相交，貴在情義，但有時對窮困朋友，如果自己經常要多協助，久而久之也會彈性疲乏，就不想再交往下去，有時就藉機離開，除非是有情有義的鐵性漢子，會不顧一切去資助，但在社會上畢竟是少數，所謂「龍交龍、鳳交鳳，乞丐窮人在一起」的社會生活就會是新常態，當然如何擺脫貧窮，就要靠自己的努力。

◎ 每日為生活打拚、討生活，無暇去追求快樂的人生

由於生活窮困潦倒，外加沒有一技之長，或是找不到不錯的工作，往往為了圖一己之溫飽，就需要付出相當大的代價去討生活，更沒有快樂生活的追尋了。

◎ 子女容易離家而外出，不容易一起共同生活

因為生活難以溫飽，有時候子女從小就要有自己生活的本事，所以也無法跟父母有較為親切的互動及生活，甚至在小時候就被迫離家去掙錢。

◎ 生病很難處理，有時就病死家中，無力救治，成為憾事

一旦家中有人生病，要看醫生或救治，本就無力負擔，有時只能一天拖過一天，等待死亡的來臨。

◎ 要完成夢想更不容易，甚至容易鋌而走險，而有觸法的情事

因為追求致富的手段不易，有時候會採用較為激烈或不當、非法的手段來獲取財富或金錢，結果就鋃鐺入獄被關者也不在少數。

◎ 能夠保持高風亮節的氣度及風範相當少數，更不易有快樂的思維產生

有些人可以在貧窮生活中找出自己快樂的心態，並能調適自己，但是能突破傳統窠臼者，總是少數，而能有所成功者，就容易成為大家景仰的對象，因為其物質需求低，人生的境界有較高的突破。

2. 沒有錢的人如何累積財富

悲苦生計難苟活
困乏其身皆受過
翻轉今世要努力
得道輪迴轉因果

沒有錢的人如何賺到錢？總是需要有勞力付出及做好投資理財才有機會轉貧為富，以逐步擺開貧窮的惡夢，但也要持續把握自己的原則，逐步漸進累積合理的財富。

◎ 培養自己的工作職場競爭力，提升自己的職位及薪資

任何一個工作都可以有傑出的表現及良好的薪資所得，但要能出人頭地就要積極努力，培養自己的實力及能力，循序漸進去提升自己的職位及薪資所得，如此才能漸進累積自己的財富。

◎ 控管自己的支出，達到收入大於支出的盈餘狀態

賺了錢，也要懂得節流，控管自己的物欲期望，不能過度支出，才能有盈餘，也才能累積小錢，變成大錢。

◎ 要儘早做好投資理財，以加速自己的財富累積

把握自己的能力及偏好，選擇好的產品作為投資理財工具，才能逐步加速累積財富。

◎ 把握老天爺給予的機會及幸運，爭取獲取較大的財富

在平時工作過程，也要積善行德，一旦老天爺給予好的機會及幸運之神眷顧時，就能有效翻身。

◎ 了解自己面對的風險，降低不當損失的擴大

不要貪圖外在過度誇大的報酬，而忘記風險的存在，以避免被騙的風險。

◎ 累積自己的專業知識及條件，讓自己成為專業的人士

不斷充實自己、投資自己，讓自己累積更多的知識及涵養，如此在評斷事情的角度上，就能更加明確，也可以減少不當風險的注入。

◎ 不要自怨自艾，先建立自己正向的價值觀

只會自我抱怨，是不能成事的，所以要先改變自己的態度及行為，只有正向積極，才能有好的回饋及喜事產生。

3. 貧窮人如何擁有快樂

貧窮是生活的挑戰過程，但是有些成功人士，總是可以耐得住寂寞而脫穎而出，進而掌握不一樣的新人生，因此貧窮人如何一樣擁有快樂的思維及境界呢？

◎ 耐得住寂寞、經得起考驗

貧窮的生活總是無法滿足諸多欲望及希望，但能從日常生活中去找出快樂的元素，需要有一番努力的付出，諸如讀書或體驗大自然之美、尋求哲學之道的體悟等，但前提是可以經得起重重考驗，並以樂觀正向的態度去面對自己的人生，並能不抱怨老天的安排。

◎ 調降自己的物欲需求，追求不一樣的人生體驗

貧窮人不要過度重視物欲生活，喜好粗茶淡飯的簡樸生活，而可以自得其樂，並能從貧窮清淡生活去覺察人生的不圓滿之處，進而找到另一種美麗人生的新體驗，亦即獲致心靈上的充實感，勝過一切物欲的追求。

◎ 可以教導懂事的子女，一起度過貧困生活的挑戰

由於子女生在貧困之家，也會有某些抱怨，如何在跟子女的互動教育過程，教育出懂事、自力更生的本事，並能從外在生活及自然接觸中，去掌握快樂的內涵，如同養一隻小狗，狗不嫌家貧，可以同甘共苦，或住在較為不好的深山環境，但能有好的山林氣息、情境，可以去觀察體悟大自然的奧妙，也許上山砍柴，造就不一樣的新人生，有時候也跟一些都市良好生活環境的小孩比較，有更為

自在多元的人生，並能度過困苦的生活磨練，在心性及修為上也能邁入到更好的人生境界。

◎ 可以當作人生修練的過程，安貧樂道，創造不一樣的新人生

在貧窮的生活困境中，有時也能激勵人生，形成一種自我修練提升，甚至可以悟道，把貧困轉換成為磨練己身的試驗，如此轉換的境界，就可以昇華成不一樣的人生旅途，如此快樂的養分就自然形成了。

◎ 貧困的生活，也能活化內心的轉換，心靈的躍升

貧困的生活，可以砥礪心志，讓心靈湧現更好向上的動能，進而在內心娑婆世界，展現新境界。

◎ 從生活中的小細節及接觸面，從中覺察快樂的元素

當生活的過程較為無慮時，不會覺察生活中的微末細節，甚至小確幸，如在餐飲中，加了一道菜而享受的滋味，可能終生難忘，但對一般富有家庭早已習以為常、不覺珍貴，但對於貧困生活，反而在小時候突如其來的改變，會讓生活的快樂感容易產生，亦即就經濟學而言，稱之邊際效用很高，但有錢人則是邊際效用遞減，不會覺得稀奇了。所以一旦快樂的滿足感可以有所降低，反而快樂可以容易達成。我記得小時候要吃一顆蘋果或一隻雞腿，總是在生病時或過年節時才能享有，因此心裡就會期待，但反觀現代社會生活，早已不是期待，而是天天可以享用，當然不會產生驚喜感，而一旦不易得到，就會有高度的期待及盼望。但滿足的欲望需求點較低，快樂的感受就會容易產生了。因此對於窮人快樂的誘發，只要有一些小改變，其快樂的感受程度就容易被創造出來。

◎一旦可以進行比較，有時會產生相對幸福感

每一個人面對生活，總是有差異，但可以進行比較時，想想自己比其他更差的狀態時，如不丹國度，老百姓可以降低欲望而感到無比幸福，反而自己會覺得慶幸，因為原來有人比我還窮，過得更不好，所以可以有高度幸福感，如此在心理的調適上，可以產生一個反差現象，也可以有快樂的感受。

第三章

財富的計算及等級分類

1. 國內財富總額的估算

為了解國內2,319萬人的財富擁有狀況，因此從幾個不同層面來加以分析探討，以界定出台灣人的平均擁有財富狀況，以及屬於哪一個財富等級。

(1) 全體金融機構的存放款餘額

主要金融機構包括貨幣機構，信託投資公司及人壽保險公司，而貨幣機構包括中央銀行、本國銀行、外國及大陸地區在臺分行，信用合作社、全國農業金庫、農漁會信用部及中華郵政公司儲匯處，以民國111年2月為例，整理如表1所示，為全體金融機構之存放款餘額。

表1 民國111年2月底之存放款餘額　　單位：百萬元

1. 全體金融機構存款餘額	53,058,053
2. 全體金融機構放款餘額	33,892,074
存放款金額差	19,165,979

資料來源：金管會銀行局，2022

以台灣而言，國民總存款餘額為53兆580億，如果除以2,319萬人，平均每人存款為2,287,971元，而平均每人借款為1,461,495元，兩者相減尚有826,476元，數字為正，表示大多數人的銀行戶頭為正數，尚有一定存款現金在身上。

(2) 以外匯存底來計算每人持有外匯金額

5,499.94億美金÷2,319萬人＝23,717美元／每人，也算是比較多的狀況，亦即國人尚屬有錢狀態。

(3) 從股市總市值，以2022年4月29日而言有514,930.79億元，除以每人平均擁有股票價值，以表2所示

以此計算，514,930.79億元÷2,319萬人＝2,220,486元/每人。

表2　股票總市值

初步估計整體股票總市值	
日期	總市值（單位：億元）
2022/04/29	514,930.79

資料來源：TWSE 臺灣證券交易所／市值週報，2022

(4) 如果以公告土地現值來估計台灣總財產：如表3所示

表3　民國111年土地筆數面積公告土地總價值

縣市別	筆數	面積（公頃）	公告土地現值總額（千元）	City/County
新北市	1,133,627	199,165	18,918,492,255	New Taipei City
臺北市	416,094	25,996	31,099,332,659	Taipei City
桃園市	1,135,457	119,375	10,739,068,259	Taoyuan City
臺中市	1,587,906	210,094	13,019,537,593	Taichung City
臺南市	1,871,424	212,044	7,972,461,309	Tainan City
高雄市	1,483,977	287,377	11,597,342,040	Kaohsiung City
宜蘭縣	518,025	211,886	2,555,786,225	Yilan County

新竹縣	574,521	137,074	3,006,239,112	Hsinchu County
苗栗縣	761,213	174,656	2,070,215,338	Miaoli County
彰化縣	1,090,619	104,755	3,656,801,349	Changhua County
南投縣	675,557	397,874	1,694,233,501	Nantou County
雲林縣	958,540	132,391	2,158,571,352	Yunlin County
嘉義縣	731,896	189,099	1,555,872,037	Chiayi County
屏東縣	932,452	260,036	2,440,868,960	Pingtung County
臺東縣	402,128	347,467	728,698,114	Taitung County
花蓮縣	500,639	448,196	1,663,372,687	Hualien County
澎湖縣	206,968	12,470	372,390,932	Penghu County
基隆市	135,056	13,054	1,027,524,619	Keelung City
新竹市	204,820	10,288	2,171,791,985	Hsinchu City
嘉義市	167,767	5,794	966,948,153	Chiayi City
金門縣	213,579	14,922	541,489,125	Kinmen County
連江縣	36,435	2,989	17,031,517	Lienchiang County
全國總計	15,738,700	3,517,001	119,974,069,121	Grand Toal

資料來源：內政部地政司，2022

119,974,069,121千元÷2,319萬人＝5,173,526元/每人。估計每一個人擁有的土地平均價值為5,173,526元。

(5) 台灣人均資產及負債（資料來源：中時新聞網、聯合新聞網）

以目前台灣所具備的資產總值，並把總財產總值除以人口數即可得到每人平均擁有資產，目前台灣人均資產高達381萬（亞洲第二，全球第七），算是對於台灣人的努力過程有得到一些代價；而到民國111年為止，台灣平均每戶負債為204萬元，在全球而言，負債比率不算太高。

(6) 台灣擁有的機動車輛數

針對國內擁有的汽機車總車輛數，如表4所示，也是衡量一個人動產的指標，換算為資產價值，也是每個人的平均財產狀態。

表4 民國107-110年機動車輛登記數

	汽車（輛）	機車（輛）
民國107年	8,035,720	13,835,520
民國108年	8,118,885	13,992,922
民國109年	8,193,237	14,103,763
民國110年	8,330,774	14,266,920

資料來源：交通部統計查詢網

(7) 國內擁有的黃金總量（資料來源：ETtoday財經雲）

國內也是一個擁有黃金總量不少的地區，台灣的央行目前持有的黃金量為1,362萬盎司（全球排第13名），把黃金總重量乘上兩數，乘上「錢」數，再乘上黃金每錢多少錢，也可以計算總黃金價值再除以國內人口數，就是每個人平均擁有黃金的價值。

1,362萬盎司×1,800美元/盎司×30÷2,319萬人＝31,715元/人

(8) 每個家戶擁有的電器用品及傢俱價值

由於生活需要用到電器用品及傢俱，如果加以換算成財產，也是一種財富的表徵，再乘上總戶數，即可得到總財富價值，再除以

人口數，就得到每個人的電器用品及傢俱平均資產價值，而電器用品除了電視、冰箱、洗衣機、冷氣機外，也包括手機，另外傢俱則包括沙發、餐桌及床、衣櫃等。

(9) 平均國民所得（資料來源：行政院主計總處）

把國家GDP除以人口數，即可得到平均GDP，再予以計算，就可以獲得人均所得，也能了解每一個人可以平均賺多少錢，台灣人均GDP達52,304美元（約156.4萬元台幣），排名全球第19。

(10) 平均儲蓄率（資料來源：公視新聞網）

利用儲蓄率，就可以知道從平均所得中，每個人可以留下多少錢當作儲蓄額。

當我們把跟財富衡量相關的數字計算出來，就能大致估計國內平均每一個人的可能財富狀況，大約是在多少範圍，也可以了解經過幾十年來國人的努力成長及發展，已累積了多少財富，每一個人的平均財富總值大概是多少錢。同時也可以了解到，如果一個家庭財產，沒有達到基本水準，就可能掉入貧窮的境界，是否為小康家庭，或成為大富、中富、小富，就看自己的財富水準而定，而個人財富計算公式如下。

個人財富＝金融機構平均存款－平均貸款＋平均每人土地價值
＋平均黃金價值＋平均機動車輛價值
＋平均傢俱及電器用品價值＋平均房屋價值

目前一般而言，每人大約處在500到600萬左右，所以一個四口之家，平均財富大約是2,000萬到2,400萬，只能算是小康家庭，還不算是中產階級，但相較其他國家已是相對富有國家，因為有下列幾個概念性思維：

A. 國內中低收入戶比率不高，一般以小康及中產階級家庭居多。

B. 家戶的基本生活水平及房屋內涵等級已有一定水準，包括基本的生活配備、車輛、電器用品及傢俱、黃金皆應有盡有，而且也有基本金額的存款。

C. 每年實質所得皆有成長，家戶在一定儲蓄率推動下，皆能不斷地累積家庭財富。

D. 擁有的土地與建物資產都已有一定的規模及價值，因此自有房屋率已達八成以上，就已開發國家而言，算是相當高。

E. 家戶擁有的機動車輛數不少，表示買得起汽車及機車的家庭相當多，但也造成停車格位難找，停車費用越來越貴。

F. 平均個人所得已突破3萬美金，也邁入已開發國家行列，但是貧富差距仍然很大，許多人每月所得仍在新台幣3萬元以下，要應付基本生活開銷相當不容易。

G. 平均存款大於平均貸款，代表民眾仍擁有一定現金存款可用，也代表國內儲蓄率仍有一定水平，而國人的儲蓄觀念也相當不錯。

H. 相較其他國家的財富而言，台灣可以進入富有國家之林，目前整體儲蓄率約為43.75%，因此一年出國旅遊人次相當多，代表大家都有閒置資金可以運用。

I. 以年輕人要擁有一間房屋不容易，仍有些人需要租賃房子，因此隨著土地價格的飛漲，購屋買房對於年輕人是人生一大挑戰，除非是等待接收父母的房子。

J. 家戶雖有一定存款，但仍須面對繳交房貸、治療疾病、子女教育等相關費用之支出，這也是一般家庭要能邁向中產階級的一大挑戰。

K. 目前財產千萬元已不算有錢人，要步入到億元以上財產才能入列小富階級，這也是大家在主觀印象上要加以調整的認知所在。

L. 國內已經擁有百億資產的人相當多，尤其是土地及股票價值的上漲造就這些高資產價值的有錢人，這也是形成貧富差距現象的關鍵所在，因為富者越富，貧者越貧。

2. 財富的等級劃分

每一個家庭擁有的財富總量不同，甚至有負債產生時，到底要歸類到哪一個等級，以台灣而言，可以去做區隔分類。

◎巨富：目前財產總所得在新台幣100億元以上者

這裡的財產計算包括土地、不動產、現金、債券、車子、股票、黃金、骨董、藝術品等，累積的總額為計算的標準，就國內而言會進入巨富等級者，包括擁有大筆土地資產者，如建商、大地主、還有上市櫃公司大老闆及大股東，比較有如此身價。就國內而言，進入此類等級的人員也不少，只是平時不會展現出來而已，一般都比較低調，不會任意張揚，就其所擁有的資產呈現也以下列為主：

土地：隨著國內土地價格的大幅上揚，擁有的土地越多，個人身價也相對翻轉，尤其若干土財主，更是看不出來，可能因為市地重劃、區段徵收或地目變更，一夕暴富。

股票：基本上以市價轉換的總價值，如台積電、聯發科、大立光，若干千元價格俱樂部的大董、大股東，很多都有百億身價。

存款及現金：存款在百億以上者，在國內相對比較少，但超過十億元者則不在話下，畢竟大筆現金放在銀行機構者，相對而言較少。

特殊骨董或高檔藝術品：有些人有蒐藏藝術品之習性，包括一些極高單價的藝術品或骨董。

豪宅或高級店面：有些豪宅的相對售價也不少，如果擁有一定數量，則其財產總數也不少。

黃金：搜集黃金也是許多有錢人的偏好，也是呈現財富的一種表現。

高級跑車或名車：家中擁有千萬級名車或跑車。

大富

也是屬於超級有錢人行列，為財產總額在50億以上，未到百億範圍者，也擁有一定資產，包括土地、建物、股票或其他存款，現金或黃金、債券，基本上生活也相當好過，可能也住在豪宅中，擁有名車，可以經常吃高檔餐廳及出國去旅遊。

中富

也算是有錢人，大約在10億以上，50億以下之家庭，其生活層面也相當富裕，不愁吃穿，也算是可以過著高檔生活，但也可能是擁有一塊大筆土地尚未開發，如果家族不分家，有時就很難擁有一些具體財富。所以這種人在平時的外觀及生活樣態也不一定看得出來，因為真正的財富尚未入袋，有時也尚未出手賣掉，在平時互動過程就無法了解其財富的真實面貌。

小富

大約是1億元以上，10億元以下的家庭，本質上也算有錢的，包括消費上也可以很富裕，但若前提是財富以土地為主，而非擁有現金，則在實體評價上，就很難用世俗眼光去看待，因為是把錢放在空中樓閣，說有錢可是又賣不掉，或是不敢賣，如果擁有的是超過1億元以上的現金，則在外部評價上，就有一定客觀分量來排入有錢人的行列。

中產階級

存款是5,000萬以上到1億元以下的家庭，現今台灣大都以中產階級為主，也是民間一般消費的主力，有一到兩間房產及土地，也有一定數額的存款及現金。一般而言，生活尚稱豐足，不會為錢煩惱，除非想進入富有階級，汲汲營營，就會投入更多時間去賺錢。

小康

以2,000萬以上到5,000萬以下的家庭為主，在一般基層民眾都以此為主，尚未進入中產階級，基本上生活需要每天打拚，有一定存款及儲蓄，尚能過活，可是不能出較大狀況，否則也會面臨挑戰。

基礎

一般而言在500萬到2,000萬元以內，生活上更形艱困，每天為三餐需要打拚，目前擁有的是一間房，因此需要每天戰戰兢兢地努力工作打拚，才能養活自己及家庭，而且可能還有貸款要支付。

新貧

大多是0到500萬元以內財產，生活相當緊張，不能出任何差錯，要買東西也要精打細算，以初進入社會的年輕人為主，如果要跳脫新貧，就要努力打拚，讓自己晉升主管或做好投資理財。

貧窮

大約是負債等級，家裡每天是寅吃卯糧，房子可能是租的，每天要努力工作才有飯吃。要擺脫貧窮，就要有積極的作為，才有美麗新人生。

◎高度負債

因為經商或投資失敗，完全沒有任何財富，已經淪為中低收入戶，需要人去接濟者，生活相當不好，需要奮發圖強才有翻身機會，如果是遊民，則生活更是悲慘。

第四章

投資理財寶典

1. 投資理財的新生活觀

投資輸贏一念間
成就貧富方寸邊
莫道機運不在我
唯有行善留芳遠

正常工作賺錢，要累積大量財富是不容易的，除非在大公司領取高薪及配股以及高額獎金，大部分的人除非當老闆，否則仍需做投資理財去賺取及擁有財富，但是要做好正確的投資理財，並不是一件容易的事，除了心態的堅持之外，專業知識的培養也很重要，當然也要有機會及幸運的搭配，才能有好的財富產生，綜觀許多富裕國人的觀察及體會，如何有錢，不外乎有下列幾個管道：

承接家族的財產而身價暴漲

來自繼承的財產，原來是一般般，可是一旦承接父母或親戚的重大財產，如果相當可觀，有的人立即財產翻身，有的人身價突然暴漲。

因做生意而獲利，累積財富

開工廠做生意或開公司，獲利甚豐，自然而然，經由股利的分配，或股本、股票的上漲，造成個人身價的暴漲，但也不是能終身確保，仍需自我不斷努力投入經營，才能有美好的成果可以享有。

◎因懂得投資理財而創造財富

在正常賺錢之際，懂得分析股票，投資房地產，購置外幣、古董，或數位貨幣、虛擬貨幣、黃金等，而享有投資的報酬，進而讓自己財富提高。

◎因土地的用途改變，突然成為暴發戶

許多地方原先是農地，可能因為鄰近區域的土地開發或市地重劃，而辦理土地用途變更或被政府高價徵收，使自己身價躍升。

◎因投資未上市公司股票，一夕之間公司翻紅而讓財富增加的過程

由於未上市公司充滿挑戰及風險，但也有可能突然因為技術領先，或訂單的翻轉，甚至由未上市改成已上市上櫃，在市場上得到青睞，因此股價突飛猛進，連帶投資的獲利大增。作者自己也曾有一些經驗，原先投資一支未上市股票，一股30元，結果上市後，得到市場肯定，股價竟然漲到600多塊，如此財富突然暴增20倍。

◎懂得運用銀行資金，去從事種種購屋、賣屋及租屋的營利過程

在房地產交易市場中，也充滿了諸多變數，有時候土地的翻轉只是一個訊息的改變，土地區位立即有了新的價位，如台積電宣布投資高雄，在2021年立即讓左楠地區土地暴漲，原先一坪10幾萬的房子，立即改成20萬起跳；而20幾萬的房子，立即跳升上30幾萬，因此若干投資客，也就立即賺了快錢。

◎在上市櫃公司或外商公司擔任高級主管而享有的高端薪資及福利待遇

一般而言，上市櫃公司或外商公司給予高階主管的人員薪水加

上福利待遇比較好，動輒千萬，甚至達到億元薪水，如此高薪待遇，也可以帶來財富的累積。

◎一般工作薪水，但卻懂得省吃儉用，並用小錢去從事跟會或小額投資的漸進理財過程

所謂小錢能累積成大錢，如果長時間有規律的行為，也能累積不少的財富。

2. 股票的投資策略

長期投入存本錢
穩定收益在身邊
年老不怕沒錢花
子孫照養不相欠

以投資理財而言，股票投資仍是大家較為普遍的投資產品選擇，目前到2022年3月總開戶人數為145,692戶[1]，而以台灣而言，上市櫃家數達到1,700多間，興櫃家數也達294家[2]，還有未上市股票但已是公開發行者也有許多，這些都是潛在的投資標的。當然，國內也經歷過股票的蓬勃發展期，從1987年開始突破加權股價指數1,000點以來，一路達到1990年的最高峰為12,682點（1990年2月16日），而後因為郭婉蓉部長想徵收證所稅，引發股市慘跌至2,000多點，接著到1995年開始，電子股興旺，誘發了諸多股票族又進場投資，到了2008年亞洲金融風暴，又讓整體股市起了很大的波動，一直到2020年疫情再起，股市一度慘跌，歷經美國股市熔斷機制，接著台股隨著疫情的改變，美中貿易戰造成台灣半導體產業雙邊獲利，訂單接不完，工廠滿載，在2020年就由8,000多點，攀升到2022年國的17,000多點，到了3月疫情再度嚴重，俄烏戰爭開始，全球通膨及原物料價格上漲，使得股市又興起了大風暴，綜觀股市而言，從一開始的2005年股票總市值為14.4兆元，在2022年6月已提升至48.6兆

1 資料來源：台灣集中保管結算所。
2 2022 年 4 月 29 日資料，來源：證券櫃檯買賣中心。

元，因此如果在股票投資有掌握一些原則的人，仍然是股市投資的贏家。尤其是在2008、1990年都有率先賣掉股票脫離者，並能有長期投資優選股票者，其獲利率大都是相當驚人，尤其台灣的許多上市櫃公司，基本面都相當不錯，每年分配股票或現金股利也都相當穩定，因此股票投資不僅可獲得資本利得，也增加收益所得，如果穩健投入，在未來人生上，也都擁有一些基本保障。

就股票投資而言，經作者長期觀察，建議有下列投資策略：

◎短期投資賺波段，長期投資賺趨勢

習慣短投的人，在技術分析指標、相關投資上市櫃公司的基本利多及營收消息都要掌握得宜，如此波段的獲利才能兼顧，否則很容易在低點賣出，高點買入，造成虧損，尤其散戶沒有操作本錢及本事，一般很容易受到股市的作手洗牌，就深陷泥沼不可自拔，但要把握長期投資的獲利，其關鍵就在於選股策略及每年購買時點之決定，只要這兩個點掌握，心態夠堅定，不隨波逐流，不需要每日看盤，就能長期穩定獲利，諸多散戶的成功投資案例都是如此，而且失敗者少。

◎短期投資，必須做好線型之技術分析

也要注意公司經濟、產業及技術面的有用資訊，通常是先行掌握者可以較多獲利，也能夠掌握投資波段的上下值，才能有所突破及獲利，否則經常會扼腕，在懊悔中度過。在此也建議投資組合至多不要超過5支股票，否則不會集中時間及精力去分析所投資目標公司的經營狀況、基本面及未來成長情形，對於公司的風吹草動也要有相當敏銳度去察覺，因此每日訊息的分析、掌控、解讀才是能致勝的關鍵。

◎長期的投資人，在於如何有效選到對的股票，進行長期抱股持有

其基本原則如下：

A. 每年獲利EPS在3元以上。

B. 每年皆有一定程度的營收成長率。

C. 本益比在20以下者，最好在10以下。

D. ROE（股東效益報酬率）能在5%以上者。

E. 選擇連續三年都能達標者（上述四項原則）。

F. 投資組合在三支股票以內。

經由上述原則所列舉的股票再予以排序，不同類型股票各自買一種，如傳產，半導體產業等，另外每年採固定金額買入，並依每股漲跌之趨勢作分析，可以三個月之數值平均線，選擇每季之平均值作為購入標的，如果每半年買一次，就以半年線作為購買標的，如此所達到的股票包括台塑四寶、中華電信及其他半導體產業股，就會列出一些投資潛在名單，最後從中選擇共三家標的作為投資組合就可以。另外在心態上既然是長投，就不要有過多的賺錢賠錢心態，可以給自己一個閉鎖期，可能是5-10年。一般而言，只要選擇的股票不要太差，長期而言，獲利多倍皆有可能，千萬不要懷疑，當然最大的挑戰就在於心理壓力，一旦有賺錢，就會想著要贖回，這些都是一種心理考驗，有的稱為「從眾心理」或「羊群效應」，亦即人容易受到外在的資訊或獲利的影響，進而做出不合理性的行為或動作，但是往往能夠堅持到最後才是贏家，許多案例都在在顯示，有些人一買20年，一年買100萬，結果每年獲利及成長到現在，一年至少有600萬，甚至到1,000萬的股利可收，如此經過每年配股配息的投資，也為自己累積可觀的財富及未來生存之道。

◎危機入市的思維

危機之後就是轉機，一個經得起考驗的企業，不會不堪一擊，仍有一些抗壓性及承受力，因此在處理公司面對的問題及挑戰之後，往往其後續爆發力相當驚人，股市也會一飛沖天。如同股神巴菲特的危機入市，價值投資觀念。

◎對於一些重大事件的衝擊分析

有時候，國家社會的發展及產業的經營也會產生一些時空亂流，如通膨，原物料上漲帶來的輸入型通膨，外加美中塞港引發的供應鏈中斷、航運費用暴漲及航期艙位不定的問題，如此也會引發一些企業營收及獲利的調整，因此也需要有所掌握，儘量避免被套牢的窘境，尤其不要誤信炒作者放出的消息，通常只能略吃甜頭，損失卻很大。

◎分散投資仍是必要措施

股票市場種類甚多，因此不要把所有雞蛋放在一個籃子裡，所以自己的投資組合也要做好分散，如此可以降低系統性風險，當然每一個企業的龍頭股就是首選，也是自己可以投資的可能標的。

◎設定一個獲利的結算點

隨著投資獲利，但什麼時候是合理投資的結算點，也是重要的考量所在，而且在獲利結算後，又要布局新下一波選擇的重點，因此在投資目標達到後，也要設定獲利點來完成階段性任務。

◎ 要注意投資標的發生的重大消息

由於投資組合的家數不多，因此較可以聚焦，做好功課，搜集有用資訊，以減少遭遇重大措施的反應不足狀況。

◎ 注意未來產業及科技的動向，以掌握投資標的選擇

標的選擇是很重要的，尤其隨著產業及科技的發展，更要與時俱進，才能有機會選好股，選對股，賺到錢。

3. 投資股票的忌諱

股票是用來投資，不是用來炒的，但是股票市場因為有市場主力、散戶，因此對於多空之作，仍有不同見解，但是在股票投資中的幾個迷思，仍需要加以克服及消除。

◎股票不會永遠走在多頭，也會有震盪不安定期，也會下跌，而且這是股票的常態

股票本來是多空交戰的結果，有人看好，有人看不好，所以有人選擇賣掉股票，有人會買進股票，但是股票每次開盤總會有起伏震盪，不可能每天都在上漲，那就是不正常，終究會跌下來，不然就是有人刻意在炒作。千萬不要當最後一隻老鼠，慘遭套牢，如同航運股，在2021年漲翻天，但也會一夕變天，讓人措手不及，又如如同2022年第二季開始，台灣股市進入空頭狀態。

◎股票如果不買賣，就不是實際賺或賠，都只能算帳面上，因此有時候長期等待仍然有機會，如果股票的本質不錯，一般而言，長期投資都不太會賠錢，但就是要等待，有耐心

股票的已實現獲利或損失，就是真的賣或買進股票才算，一旦握在手中不賣，除非公司下市，不然仍然有機會。當然也會因為選股不當，買到體質不佳的投機股，則股票的漲跌變化就很大，心臟也要扛得住，但是績優股或領頭股，基本上都有機會回本，除非在高點套牢，就難講。

◎ 股票不要一天到晚看盤，很容易受到盤中的訊息影響，就形成交易的錯誤倉促出手，進而在懊悔中買進賣出

很多散戶或菜籃族，會有如此行為模式，喜歡看盤的投資者，很容易受到盤中的變化訊息操縱，進而做了錯誤的決策，宛如賭博在賭運氣，賺也賺不多，而很容易買高賣低。

◎ 短進短出要支付證交稅及手續費，玩久了，都是被政府賺走

短投的次數越多，要支付的證交稅及證券商的手續費也越多，長期結算出來，有時候賺的都被稅及費抽走，因此除非有不錯的獲利，否則不要經常進出，以2021年而言，政府一年的證交稅就高達2,753億元[3]。

◎ 股票到達自己的獲利點，就要賣出，千萬不要懊悔，亦即規律很重要，同樣地到達停損點也要勇敢賣掉，才能降低損失

股票投資是人性的考驗，唯有堅持規律，才能賺錢或少虧，許多人就是在心裡徘徊起伏，無法下定決心，就只能在股海浮沉了，現在新的投資方式就是程式交易，一旦達到獲利點就賣出，讓電腦程式來有決定自己設好的投資決策，以降低猶豫的心理因素。

◎ 股票組合千萬不要太多，什麼都想買，這是違背人性的，因為你是散戶，所以投資組合家數千萬不要太多，否則一定會分心，無法有效兼顧

投資組合的股票家數太多，就要花更多時間去搜集資訊，或掌

3　資料來源：理財網新聞，2022 年 1 月 12 日，〈去年稅收超徵逾 4000 億／創新高　證交稅豐收〉。

握公司的重大訊息，但是人的時間有限，也不要花太多心力去做多元的投資，就是採用聚焦法，好好研究，一樣會有好的結果及投資收穫。

◎時間是一種考驗，長投是一種戰略

一旦看好哪些股票，基本面及未來面都看好，中間也有少許的修正，但一般而言，長投較能擊敗大盤，短投的波段除非技術分析夠強，但經常會看走眼。

◎聽信別人的名牌是最危險的投資

名牌如果準，自己去借錢買就賺大錢了，何苦還要找別人加入，有時候股市的作手，就是在放長線釣大魚，給你一點小利益，就足夠了，結果變成自己被套牢。因此自己研究，掌握清楚資訊最穩當。

◎千萬不要迷信融資可以以小博大，股票投資原則上是用自己閒置資金為主

如果用融資玩股票，得失心會更大，而且是借錢玩股票，則其冒險性又更大，用自己閒置的資金，在投資上較無壓力，也比較不會患得患失，不堅守規律。

◎自己不懂的股票就不要亂買

公司或產業的發展常是股票的基本面及未來面，任何較大的變化及衝擊影響，自己也要有所涉獵，不懂就去問，必要時可以參加股東大會聽取經營階層的報告及願景，包括財報的閱讀都是基本功。

4. 實務投資案例

例：以基金投資或股票投資而言，如果選好股，不會快速買進買出，假設每年投資10萬，則在20年後，會呈現何種改變，假設每年投報率10%。

$$100000\times(1+0.1)^{20}+100000\times(1+0.1)^{19}+100000\times(1+0.1)^{18}+\cdots+100000\times(1+0.1)=100000\times FV_{1}2FA(10\%,20)=100000\times 57.275=5727500$$

如果是15%，則會變成10,244,000元；

如果是20%，則會變成18,669,000元；

這就是複利的效應及時間的總值，而且尚未包含每年配發的股利及股票，因此選對股，在每年固定時點買入，都會有機會賺錢。因此投資股票欠缺短期操作能力者，建議以長投為主，但就是心態要放得開，不要隨波逐流。

5. 未上市股票的購買

投資未上市股票也是現代人新興的投資方向，但也有充滿挑戰及不確定性的風險，因此在投資上要把握幾項原則。

◎ 確認是幾年內即將上市的股票

未上市如果不能轉上市，那就是一場空，甚至是一場騙局，千萬不要被美麗的報告書給騙了，如何去確定能真正上市，才是首要關鍵。

◎ 經營者很重要，是否為有道德良知的經理人

如何投資，首要就是查看負責人是誰，如果過去有不良紀錄，就捨去不投，因為許多人是本性難移，也許已經轉型，但有不良紀錄，就是不好，寧願再去找下一個良好的標的。

◎ 未上市公司內要有自己熟悉的朋友，可了解其運作狀況

未上市公司投資，也是一項風險投資，但是公司內有較熟悉的朋友，就比較能掌握一些特定的狀況，如未來發展性及技術領先性以及市場的反應，如果一旦經營狀況不對，也較能快速脫身。

◎ 投資未上市公司的投資比重不應太高

畢竟未上市公司的投資風險比已上市公司高很多，因此基於投資配置效率，在資金投入上之比重就不要太高，以免承擔的不確定風險會更高。

要設定自己的等待期限

之前經營者講得頭頭是道，但是一年接著一年，離上市仍是遙遙無期，則如果有轉讓或被買回的空間，就可以適時拋出。

上市後也設定自己的適當投報率

在上市一開始一個禮拜是股價的黃金期，不會受到漲跌幅的限制，因此如果運氣好，就很容易有不錯的獲利達標，這時就要執行投資規律，賣掉，再尋求下一個標的。

要注意股票被減資

投資未上市股票，最不喜歡看到的就是減資，這時股票會被折減價值，整體股票價值會慘跌，這時就要特別注意如果要加碼這家公司的可行性了。

通常會投資未上市公司，可能跟自己的朋友圈有關，因此公司是否運作良好，是否每年有發股利，也要具體了解及評估，才能真正進場投資。

6. 債券的投資

債券相對股票，是一種屬於固定報酬、波動幅度比較低的投資性商品，其風險當然也比較低，因此一般個人投資者都不會把大量資金配置在這，但是法人投資者就不一定，因為要做到風險分散，所以資金配置就可能會涵蓋債券。

以國內發行的債券而言，有分成政府債及公司債，一般也是由法人或金融機構購買者較多，通常是以閒置資金購買為主，因為總比放在銀行機構的利率較高。另外有些公司會基於節稅或投標公共工程使用，也會購買公債，一則可擁有一些利息收入，一則可當作投標金使用。但個人購買者會較少，除非是想節省所得稅費（因為債券採分離課稅），才會購置，因為相對利率不高，所以個人購買的意願較低。

但以國外發行的債券就不同，有些是高收益債券，有些是信用等級較低的垃圾債券，其票面利率較高，因此有些投資者也會喜歡購買，因為利率高，投資獲利也有4-8%左右，也不會輸給長投的股票收益。但是購買外國債券要注意幾項原則：

◎ 匯兌風險

以國外貨幣計價的債券，也存在匯兌風險問題，因此要選擇強勢貨幣為主的債券，一般仍以美元或歐元為主，但仍要看當時的貨幣狀態而定，沒有保證一定獲利，最不好的狀況，就是利率收入比匯兌損失還要大，可能就沒有賺錢，白忙一場。

◎固定配息的外國債券，會作若干財務操作，因此其債券價格是浮動的，也會產生投資風險，波動幅度較大

當利率價格上漲時，債券價格會下跌，此時購入債券，未來可能會增值，但當利率下跌時，此時購入債券，未來可能會下跌，另外有些債券也會不斷轉換標的操作，進而造成債券價值浮動，因此仍然會有波動損失。

◎贖回費用之思考

有些債券或債券型基金，有一定購買年限要求，在提早贖回時會有懲罰條款，要加計若干費用才能贖回，因此購買時也要考量清楚，才不會投資沒賺到錢，反而賠了錢。

◎設定投資獲利點

買賣債券，仍然要有獲利結算點的設定，如果達到目標，仍要適時執行投資紀律，做好贖回之動作。

◎利率大幅變化之際，買賣債券的風險也會提高

通常處在市場穩定狀態，其利率變動的債券風險會較低，如果利率波動幅度較大，此時購買債券的風險也會較高。

一般國外債券的報酬率會高於國內，大約4-8%左右，因此若有閒置資金但不想投入股票市場，債券型基金也是一種投資商品的新選擇。

7. 基金的買賣投資

基金是現在民眾經常作為投資的標的，因為如同股票進出，如開放型基金，有每天淨值可看，一旦達到投資結算點，仍然可以視同股票進行買賣。但是基金種類眾多，一般而言，可分類如下：

開放型基金：可立即贖回的基金型態，但也會有提早贖回的費用及管理費要繳交。

封閉型基金：在投資閉鎖期結束，才可贖回的基金。

基金投資的標的也相當多元：

◎ 以一般上市櫃股票作為投資標的，稱之股票型基金

目前國內基金投資標的，一般而言，皆以上市櫃股票作為標的為主要項目。

◎ 以貴金屬作為投資標的，如黃金、白銀、銅、鎳等

有些基金的投資標的是以貴金屬作為買賣基礎，其價格變動性也相當高。

◎ 以天然氣、石油作為投資標的

有些基金的標的則鎖定在天然氣、石油為主，以2022年的波動性就相當大。

◎ 以未上市股票作為投資標的

◎ 針對有潛力的未上市公司作為投資標的

◎ 以數位貨幣作為投資標的

如購買比特幣、以太幣。

◎ 以債券作為投資標的

另外對於基金購買方式有下列二種：

一次購買型，以一次金額購買基金，則依當時的基金淨值作為購入成本。

定期定額型，以每月一次、二次、三次扣繳等，作為購買方式之基金型態，這也是很多投信及金融機構鼓勵的方式，基本上可以分散風險，有點像是平均成本法。

8. 基金購買的風險及損失

◎ 匯兌風險

如果購買基金，是以國外貨幣計價的，就存在匯兌風險。

◎ 標的漲跌風險

不管哪種投資標的都會有漲跌情勢變化，因此不能保證一定賺錢。

◎ 贖回費用

有些基金，如果要比約定時間提早贖回，就需要負擔一些提早贖回的懲罰費用。

◎ 管理費用

基金是由特定人（基金經理人）在操盤，因此要支付基金經理人的管理費用。

對於購買基金的人而言，心理上也要有一些基本的概念。基金是委任專業經理人購買投資標的，以減少自己的決策判斷，所以要付出一些代價當作費用。

各基金經理人的表現落差很大，多頭或空頭時期的表現也不相同，所以必須要了解這位基金經理人的投資風格是否適合自己。

購買基金也要有長投的概念，有時候不要太在意漲跌的變化，因為那是投資的常態，當然自己可以設定一些獲利點或虧損點，但要加上相關管理及操作費用才做好評估，較為適當。

定期定額是懶人投資法的一種，也是降低減少自己投資分析的時間，但前提是要選擇好的基金標的，因此建議先以前三年投資績效皆有良好表現的基金為主，再予以排列，選擇適合自己的基金型態。

9. 各國貨幣的投資分析

選擇外國貨幣作為投資標的的人也不少，尤其隨著金融及國際情勢的不同，各國央行對其貨幣政策也會有不同的管理機制，由於市場分析都有一些專家探討，一般而言，要掌握外國貨幣的變化趨勢是可以有一些專業性建議可供參考，除非國外貨幣政策的可預測性太低，不然要賺一點差額，都是有機會。

匯率是兩國貨幣交易的兌換比率，基本上會受到兩國貿易往來，貿易順逆差的數額，中央銀行的貨幣政策主軸，股市的表現，以及特定國家管理思維而定。因此仍有一些蛛絲馬跡可以依循，以2022年而言，美國升息政策明確，連帶地各國也順勢調整貨幣政策，因此匯率的改變較能掌握，但在貨幣投資原則上要掌握一些基本思維。

◎ 購買外國貨幣是以閒置資金為主，並非主力投資範疇

投資外幣，有點像是投資的插花者，順便做一下，因此其投資的進出時間會較短，一般而言，要有大幅度的變動不容易，但在-5%至5%間變動的機會也會有，在市場上，並非是投資主力。

◎ 外幣的投資在短期內就要處理其投資損益，並非長期持有，除非另有其他用途，才會保有較久的時間

外幣的匯率變動，通常在一個月內就會有大幅度的變動，不然就是每天的極小範圍改變，而且央行仍會介入操作匯率的穩定性，不希望漲跌幅度太大，影響進出口貿易。但是碰到大規模事件，有時候抵擋不住，也會放手大膽去漲跌，這時就是一個機會。

◎購買外匯的交易地點通常都是在金融機構，但是銀行也會考慮自身的獲利及匯兌風險，因此都會存在「賣得高、收得低」的情形，因此除非有較高幅度的獲利，不然要賺大錢都不容易

銀行機構收取外匯都是以己身利益加匯差損失作為考量，一般來說，銷售及買賣的價差會較少，要賺取大量匯兌利益的機會不大，通常是在3-5%，就已算不錯的投資。

◎購買外幣最好是強勢貨幣為主，如美元就是大家較多選擇的標的

美元對新台幣的匯兌曾經高達1比40，在2021年則跌落至1比27.5，但在2022年3月，疫情及烏俄戰爭發生，以及股市的崩挫，美元趁勢而起，又回到1比29.3，因此就存在一些客觀漲幅趨勢，也比較容易掌握，當然要賺一些小錢就不會很困難，反之日圓也掉到歷史新低點，是否會再低，也很難講，有人就會先買一些日圓，等待日圓的回升。

◎外幣的漲跌跟國際貿易、股市的變化存在高度連動關係

國際貿易及順逆差額度，會影響新台幣的升貶值，如果順差大，新台幣升值壓力大，但股市不好，外資會流出，則會讓美元升值，因此其漲跌情勢是多元因素的交叉變化而成，而且不同變數的影響幅度也不盡相同，還是要看不同因素的拉力及推力而定。

◎美元雖在世界領先的地位，但交易選擇也受到考驗，包括人民幣都在乘勢而起

以前美國是世界的霸主，美元獨強的狀態曾經維持一段時間，但是隨著歐元的崛起，中國大陸貿易量的大增，因此以美元作為交

易單位的比重在降低，連帶著強勢美元的政策也受到挑戰，不一定永遠都是領先。

◎ 購買外幣也可以搭配組合，如美元加日圓一起購買，也可以分散風險，進而創造一定程度的獲利

外幣的投資策略，其中美元加日圓是一個不錯的組合，也能創造一些合理的匯兌利益。

◎ 購買人民幣要端視中國大陸的財政及貨幣政策而定，人民幣兌新台幣最高曾達5.2的兌換比率，最低也來到4，其間的落差也不小

人民幣已加入特別提款權（SDR），但仍然不是國際通貨，但其占全世界交易比重則在不斷上升中，而人民幣的投資要端視中國大陸人民銀行的貨幣政策，進出口貿易以及特定國家出台政策而定，不一定能完全符合世界經濟趨勢的期待。

◎ 購買投機型貨幣如南非幣、澳洲幣，必須做好投資分析，掌握其發展趨勢，千萬不要只聽到較高的存款利率就買下去，有時候也會倒賠

對於購買外國貨幣，除了會有一些利息收入外，若干外國貨幣其標榜的利率又更高，但在投資過程中必須多聽多比較，不要只被它的高存款利率吸引，有時候其匯兌的變動幅度之大，會讓人措手不及。

◎ 可以適時購買搭配銀行推出較高利率的外國貨幣銷售專案，如果匯率變化可以掌握，則不僅賺了利息，也賺得匯差

(1) 美元自1992-2022年的匯率趨勢圖

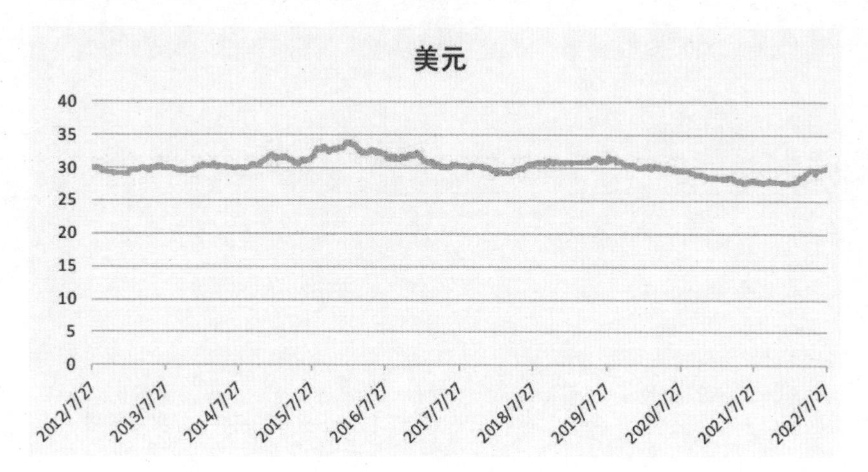

資料來源：https://braincompany.co/

(2) 日圓自1992-2022年的匯率趨勢圖

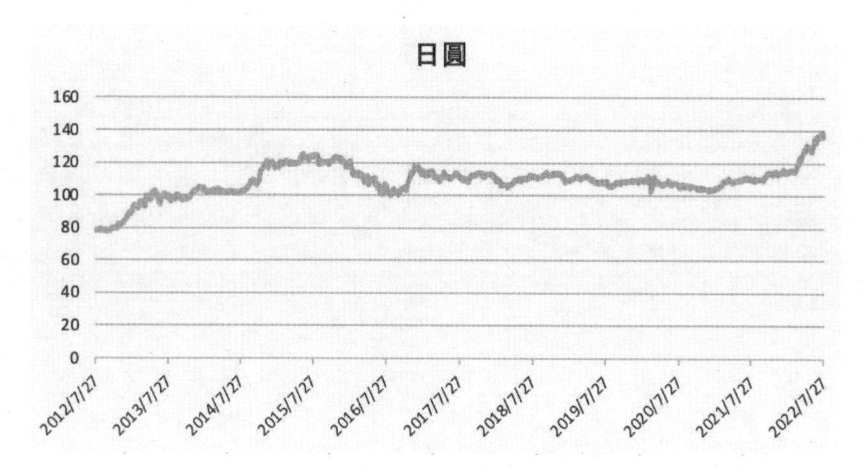

資料來源：https://braincompany.co/

(3) 歐元自1992-2022年的匯率趨勢圖

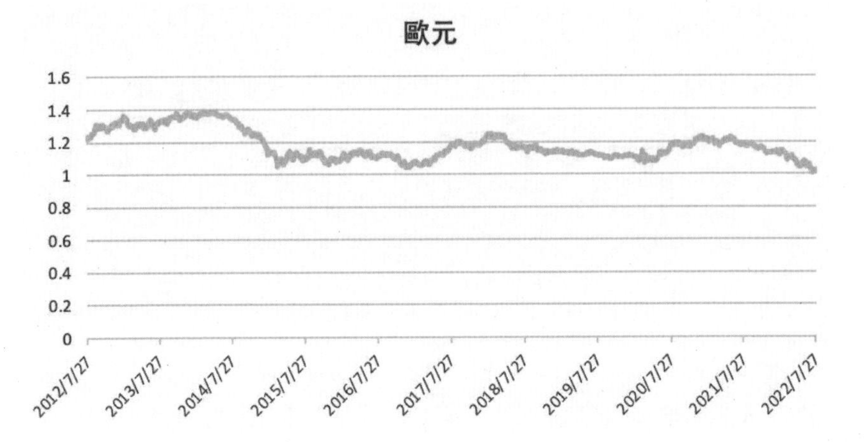

資料來源：https://braincompany.co/

(4) 人民幣自1992-2022年的匯率趨勢圖

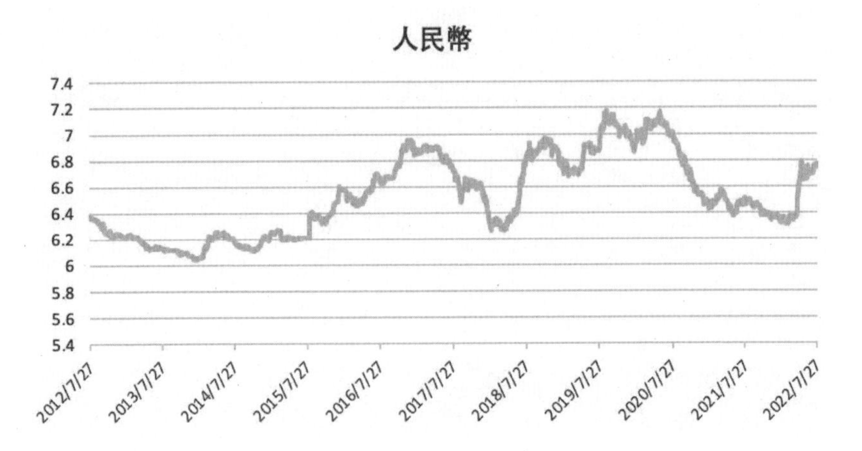

資料來源：https://braincompany.co/

(5) 南非幣自1992-2022年的匯率趨勢圖

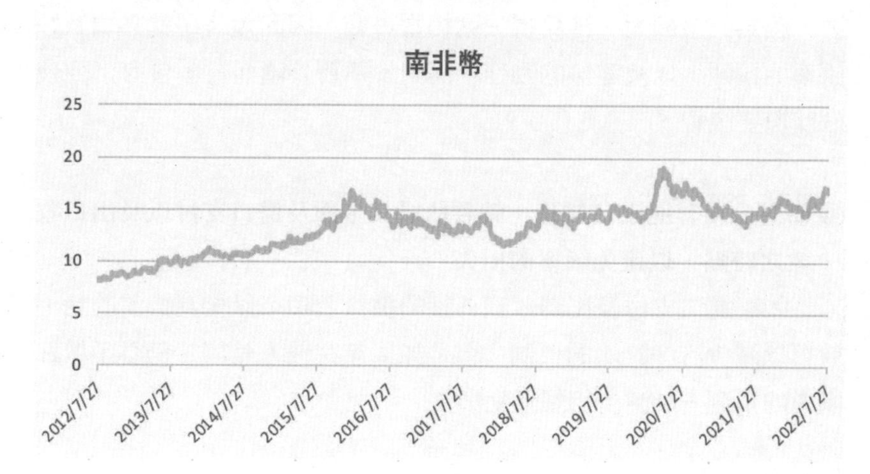

資料來源：https://braincompany.co/

(6) 澳幣自1992-2022年的匯率趨勢圖

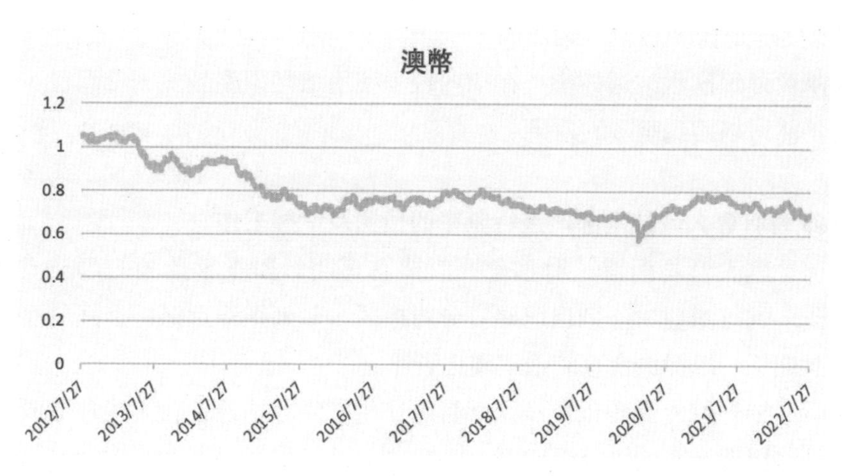

資料來源：https://braincompany.co/

就公司企業而言，如果有進出口貿易，則匯率的分析就更重要，因為其金額大，匯兌損失就相當可觀。因此大公司就必須做好匯率的預測，以及避險的動作，而對於購買外匯而言，會有下列幾個狀況要注意。

◎ 如果公司有進出口業務，就要估量其金額及進口支付以及出口收款之時點，以避免匯率的損失

如果進口支付及出口收到外匯的數量金額可以相互抵消的話，就可以減少許多避險的機制，但是如果存在較大差額，仍必須做好匯率的預測，以減少相關匯兌損失。

◎ 如果要做好避險，一般要跟金融機構進行外匯購買及商品之確認

購買遠期外匯（forward）：在進口業務上，事先跟金融機構依約定的匯率購買定額的美金或其他外匯，則到期也不會損失。

拋售遠期外匯：以出口而言，預計什麼時候會進來一筆外匯，事先依固定的匯率賣給金融機構。

購買外匯期貨或選擇權：在國內較少使用這類型產品，一般而言，仍然可以達到避險的效果。

◎ 要有專人或特定部門進行匯率的預測及掌握工作

以大公司而言，財務部門就要有專門針對匯率預測的專業人士，進行處理。一則自己建立分析模式，二則跟銀行保持良好的互動關係，以提供合宜的匯率變化資訊。

另外就外匯變化及漲跌而言，在相關變數的分析上，也會造成一些影響，茲加以分析如下：

A. 本國出口大於進口，對特定國家產生大量順差，如美國，則獲得的美元多，一旦進行兌換，則新台幣有升值壓力。

B. 本國利率比國外利率高，則會吸引外國資金進來，換取較多的新台幣，則新台幣也會升值；反之如果國外利率高，則本國資金會外流至其他國家，兌換外國貨幣的強度高，則新台幣會貶值。

C. 國外的熱錢進入本國投資股市，會大量兌換新台幣，則新台幣會升值，國外貨幣會貶值；反之熱錢如果出去，則會把新台幣轉換成外國貨幣，則新台幣會貶值。

D. 國外實施貨幣寬鬆政策，則國外貨幣發行多，就會轉至其他國家投資，如到台灣，則新台幣會升值；反之如果實施貨幣緊縮政策，則國外的錢會跑回去，會把新台幣換成國外貨幣，新台幣會貶值。

E. 國外為了弭平貿易逆差，刻意把國外貨幣貶值，造成新台幣相對升值，不利出口；反之，則會造成新台幣貶值，不利進口。

F. 本國需要由國外進口大量物資、天然氣或石油，則必須把新台幣換成外國貨幣，新台幣會貶值。

G. 不同因素之交互影響關係，有時會同時發生，因此就要端視哪個影響力道比較強，則新台幣就會有不同程度的變化。

H. 央行政策的干預力道很強，如果國內中央銀行不希望新台幣有大幅升貶值，也會透過外匯的拋售或買進的干預政策來平穩新台幣的升貶值變化。

I. 台灣為了避免被美國指為匯率操縱國，因此自2020年到2022年，央行介入的管理匯率制度就逐漸轉成浮動匯率制度，匯率的漲跌由市場機制決定。

J. 台灣基於外銷出口的政策誘導，因此會刻意讓新台幣貶值，以增加出口的數量，早期台灣的出口量增加，都是先以1:40的匯率作為基礎，在對美國產生大量順差下，美國就進一步把美元貶值，以增加其出口競爭力，進而逐步提高新台幣升值的幅度。

K. 購買外匯作為投資理財，一般多屬於短期投資行為較多，而且投資金額不大，除非是有大量閒置資金，基於資產配置的要求，需要儲備一些美元或歐元資產，才會有大量購買的狀況，一般都是以短投為主，有賺得一定投資報酬率，就會進行拋售，賺取匯差。

10. 黃金的投資策略

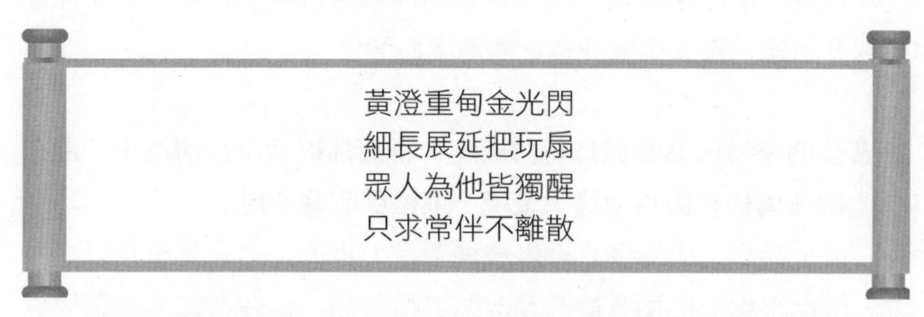

黃金是貴金屬，也是諸多民眾喜歡收藏且當作傳家保值的物品，黃金由於開採日漸不易，且開採數量低，使得黃金價格也日益水漲船高，早期在1970年代，在國內一錢黃金高達3,000多元，在當時可謂天價，而後則一路下滑至不到1,000元，接著到2008年，才又回升到4-5,000元，到了2022年，面對俄烏戰爭及通膨崛起，又再成為資產保值的首選，金價也從一盎司1,700美元，漲上2,200美元，漲幅也相當驚人，而在投資黃金時要先思考黃金的基本特性。

◎ 黃金是貴金屬，可作飾金，工業用途也是相當廣泛

黃金的延展性相當好，幾乎是所有金屬中最佳的，因此在工業用途的應用也非常廣泛，許多IC及半導體產品都跟黃金有關。

◎ 黃金在承平時期，波動起伏較低，一旦有特定狀況，波動就很大

一般時期，黃金價格落差不會很大，但碰到戰爭或其他金融事件，往往民眾會當作保值產品，就會助長黃金的上揚。

◎黃金的開採成本會逐漸提高，因此基本金價已回不去，之前一錢1,000元以下的狀態已不可能，至少都要維持4-5,000元之情形

隨著各地開採黃金，整體黃金的儲存量也越形稀少，且開採過程越形困難，因此也提升黃金的基本售價。

◎黃金的交易因為實體持有的風險，目前都以黃金存摺為主，但在金融機構仍有販售金條、金塊、金幣供收藏使用

黃金存摺已成為各家金融機構普遍力推的主力，其重量以克為主，所以市場上已由實體交易改為虛擬交易，但在台銀等金融機構仍有相關黃金實體產品可購置，以滿足民眾收藏黃金的樂趣。

◎黃金也可作為各國貨幣發行的儲備工具，因此世界各國都有保存一定黃金存量，以備不時之需

在各國發行通貨之際，早期皆以黃金當作保證準備，因此各國央行也都會購買及儲存黃金，但因為數量有限，漸漸改以其他國際通貨替代，所以之前布列顛森林制度（Bretton Woods system），又稱金本位制度，也是當時各國在貨幣交易及兌換的重要運作原則及基礎。

以投資黃金的策略而言，則是要把握時機，才能賺取機會財。

◎當全世界有遭遇重大危機及挑戰時，黃金會成為保值首選

例如當發生戰爭時，各國的貨幣並不值錢，也不一定具有貨幣購買的能力，這時候黃金就可發揮作用，因此黃金就會引發換購潮，黃金價格就會上漲。

購買黃金也可以觀察幾年的平均價格變化：可以年平均線作為購買進入的時點，逐步增加黃金購買數量，以達到獲利的效果。

黃金的投資也可以設定獲利結算點：如果有達到目標，自然可以進行出售，獲利了結，再重新等待布局。

就個人之持有習慣而言：為了應付未來不時之需，仍可持有一些黃金作準備，因為天有不測風雲，危機隨時會來。

一旦面臨黃金價格下跌：除非有跌幅太深，不然都有機會反彈，如同在2019-2021年間，黃金價格都停留在一盎司1,700美元左右，一旦有戰爭爆發及通膨壓力，就暴漲至2,200美元。

在資產配置上，黃金只是投資之一環，但並非全部及唯一：因此只能當作附帶的投資即可，平時也不用過度關注，因為平時的變化性不大，所以不用花費太多心力在上面。

至於其他貴金屬，如白銀，也是一項投資商品，但市場流通的狀態則不如黃金來得普遍，因此也是視同附帶的投資工具而已。

11. 房地產的投資策略

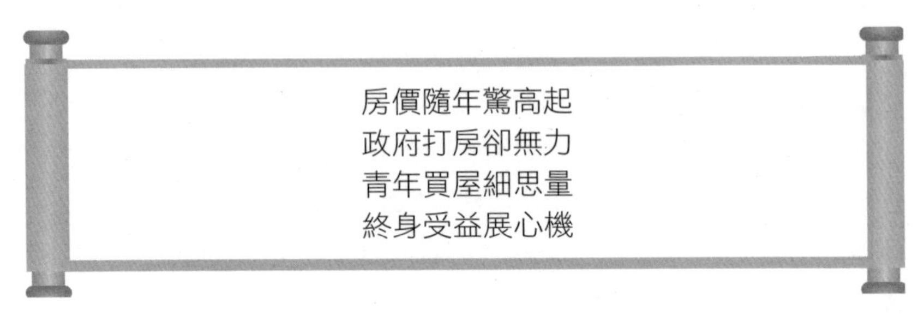

房地產是相當熱門及成熟的投資產品，因為投資房地產而致富者也相當多，而買對一塊土地，其增值及上漲的幅度有時讓人難以想像，往往會改變人的一生財富。以國內而言，近十年包括建地、工業用地及農地的價格則依不同地段及區位呈現大幅度上揚的狀態，相較一般受薪階級要致富不容易，但藉由土地致富者相當多，也成為國內建商及土地開發者競逐的主軸。為何國內房地產如此興旺？其原因分析如下：

◎ 外資投資，台商回流及國內企業擴廠帶來的剛性需求

在這一波資金回流國內的大時代，為了擴廠，投資土地及購買房地產相當熱絡，也促成土地行情大漲。

◎ 政府立場相對做多土地行情，以增加標售土地的收入

政府的市地重劃及區段徵收，有許多的抵費地及抵價地，在出售後，就能轉為市政府及中央政府的收入，因此炒高行情相對也會對國庫、市庫或縣庫增加收入。

◎指標性企業進駐，相對帶動周遭土地及房地產的行情

最為明顯的就是台積電、三井的投資案或是其他科學園區，產業園區的設立，以及軌道系統或公共建設的興建，都會形成一股投資熱潮，誘發土地行情大漲。

◎利率大幅下跌，使得資金成本下降，建商及開發商大肆獵地，相對的投入成本也不高，但是獲利卻驚人，形成一股市場仿效的效應

國內貸款利率從1994-1995年的最高峰13%，逐漸下降至2021年的1.5%，甚至更低，因此也助長建商及開發商的信心，大筆投入購買土地，相對也炒熱土地的行情。

◎一般民眾的換屋潮，新婚及搬家以及轉換工作，或為了小孩上學而遷移購屋，都是房地產的剛性需求

就一般民眾而言，仍然會基於換屋、結婚、搬家、轉換工作或小孩學區的換屋或購屋目的，成為購買的原因，上述也都是購買房屋的可能實質需求所在。

◎土地的供給有限、需求高，自然拉高土地價格

國內的土地總量有限，尤其一般平地更是不多，排除不可出售的優良農地，可作為興建房屋及廠房的土地總量相當少，因此隨著民間需求的大增，相對也助長土地價格的上漲。

◎民眾及企業預期心理的反應，又助長了土地的漲勢

就經濟學而言，預期心理不好時猶如超級毒蛇猛獸，很難抵擋，一窩蜂地搶進購買，造或土地價格的水漲船高。

◎政府打房政策無法切中要害，反而引發建商及企業主的搶買

政府基於照顧年輕人的立場，因此不希望土地價格漲太高，避免買房更形不易，但是政府出手的政策，反而讓許多建商怕借不到款及買不到土地，就急著先買再說，而且很多建商本身資金相當雄厚，根本不擔心沒錢，因此土地搶奪戰就此大開。

◎基於營建成本及原物料成本上漲，造成建商及其他企業主擔心以後興建更貴，因此也更希望早點取得土地去作相關規劃

隨著國內營建工人及原物料的大漲，一坪興建成本已增至15-16萬左右，鋼骨結構又更貴，因此諸多建商及企業主就卯起勁去購地，以避免未來土地及建物興建成本更貴。

◎相關物價上漲也助長房價的漲勢

隨著通膨的發生及利率的上揚，國內一般民生物價漲幅相當可觀，連帶地也帶動房租的抬高，因此房價也就跟著上揚。

對於房地產投資而言，基本的原則有下列思維方向：

◎重大軌道系統行經的區域，因為交通便利，也帶動房價的上揚

以台北市、新北市而言，捷運系統車站附近五百公尺範圍內，都算是交通便利優勢，以高雄市則是在三百公尺範圍內，因為靠近捷運站，到其他重要城市節點的可及性也就提高。

◎重大產業園區及科學園區附近，包括農地及工業用地也都會上漲

由於重要產業園區及科學園區的設立，會帶來大量人潮及車潮，進而產生群聚效應，因此鄰近的相關農地及工業用地也跟著上

漲走紅。

◎靠近生活機能相對便利之區域，如百貨商圈或三井購物商圈附近

生活機能往往也是購屋的重要考量因素，也是建商會訴諸的賣點。

◎在重要學區及公園綠地附近

由於小孩入學之要求及考量，座落重要學區附近也是建商標榜的重點，還有公園綠地的周遭生活環境，如高雄市的衛武營國家藝術文化中心、文化中心及農十六等，都是建商會主力訴求的焦點。

◎優良建商興建的房子，也會引發搶購

建設公司的品質及品牌，也是一般購屋者的重要評價所在，尤其若干建商對於品質之要求，也會形成市場的口碑，當然就會讓消費者有所區隔。

◎有相對增值空間的商業地帶及區域

若干商圈附近的大樓或建物，往往也是大家注意的焦點，也會引發大家的購置意願。

◎具有相對潛力發展的區域

基於未來市區開發的重點及區域，自然也是大家想投資的所在，如市政中心的未來遷移點，或重大公共建設所在地，也會讓更多民眾群起仿效，希望入駐同一個區域。

◎ 接近交通要道

如在高速公路或快速道路附近，如此要開車上班就不會有太多等待時間，自然也成為民眾考量的重點。

◎ 鄰近市場、其他民生消費店家或商家，在用餐上較為便利的生活及商業區域

在菜市場附近也是方便自己購物或消費的地方，甚至周遭有家樂福、Costco及全聯，也都是可以加以考量之所在。另外，有人對於食、衣、住、行、育樂的要求偏好較高者，也包含作為購屋的評估依據。

◎ 接近自己、夫妻伴侶上班或工作地點

居住的地方不要離公司或工作地點太遠，也是一個重要的考量因素，也是夫妻或單身族群會特別關注的焦點。

◎ 附近有大學設立或工廠、商辦設立，可以作為投資土地使用

一般在大學附近，都會有學生租屋需求，而在商辦、工廠附近也是有員工的租屋想法，因此如果購買房屋，是用來出租或作為店面經營生意的，在選擇購買的態度及影響因素就會有不同的想法。

◎ 年老時，對於醫療需求較大，也是購屋的另類考量因素

年紀漸老就有看病的需求，因此鄰近醫院，也成為另類首選的考量因素。

◎ 有停車場或停車較為便利之區域

現代人買車比例很大，對於停車的需求特別強烈，因此也會考

量停車便利者。

總而言之，購屋需求因為時空背景而有所不同，因此不同的環境之下，對於購屋考量的重點因素，關注焦點也不盡相同，也會因時因地而不同。

對於一般自住型的購屋者在考量因素，可能跟其他投資者思考有所不同：

自住型的人一般皆以上班地點作為考量原則，當然鄰近區域是否接近捷運站、火車站及公車站、輕軌等也是考量重點。其次是生活機能的考量，包括購物及用餐，以及休閒運動需求等，學區部分要等小孩出生以後才會做更多的評估，有時候也會選擇再換屋。而對於選擇建設公司的品質及口碑則依不同建案而定，也會注意評估自己的經濟能力，當然在購屋以後，如果換屋時能夠有增值，這是最理想的狀態，不僅可以滿足住的需求，也可以有獲利的空間，可謂一兼兩顧。

如果是投資型的購屋，則不以上班地點作為考量，而是以房子所在的區域特色作為重點，因為市場的增值潛力，在相關優勢的評估上，就會有所不同，當然如果有好的區域優勢條件，就比較有增值的利益，也能符合投資者的想法，因此熟讀及掌握市政運作的重點，包括捷運路線、商圈開發、重大投資廠商聚落皆要做好功課，才能下手快，搶到商機，可是投資者本身是否具有好的運氣及機會也是在考驗人的福報，因此平常的付出及對社會的回饋就很重要。

如果是想出租店面或租給學生或外面社會人士的，就要了解大學的需求條件，在提供宿舍內可以給予的附加價值及基本的功能是什麼？如果有滿足，外加管理良善，隔間效果好，也是一種可能投資模式。但隨著少子化時代的來臨，若干學校區位的投資也面臨考驗，甚至會變成空屋也不一定。另外如果是店面，就要考慮人潮及車潮聚集點，以及商圈所在，包括學區也是重要消費點，當然這些都是平時要做好功課的分析，不能只憑感覺而定。

12. 投資房地產可以產生的利益及負擔的費用

可以獲得投資房地產的收益可以列示如下：

◎ 土地及建物增值的效益

由於不同時空背景的轉變，目前南部地區，包括台南及高雄，都是不斷有向上增長的情勢，包括中古屋或二手房，也因為未來興建成本的提高，新屋價格又高，因此也跟著調漲價格。

◎ 出租物業的收入

房子出租也可以帶來收入及創造一些投資的效益，也可以作為抵付相關房屋稅及地價稅的費用，甚至管理費的分擔。

◎ 透天厝的外牆或牆面以及頂樓可能有廣告收入

若干三角窗地點或房子外緣或牆面較為醒目的地點，若干廣告商就可以選擇作為廣告刊登的地點，尤其在熱鬧地段及出入人潮、車潮較多的地點，可以有不錯的廣告收入。

◎ 停車位出租收入

停車位是現代都市民眾很大的生活考驗，有了車子，沒有停車位也是很麻煩，因此如果家中有多餘停車位，也可以出租。

◎ 透天店面之騎樓，作為其他臨時攤販銷售商品或宵夜、早餐或其他民生物品之租售

有人也充分運用騎樓作為生意的場所，因此也出租給有需求的人做生意，也可獲取一些相關出租收入。

另外對於房屋及土地，一年要負擔什麼費用，也需要知道。

房屋稅

目前各縣市對房屋稅的收取有不同規定，但對於自住者，則每人一生都有一個房子的自用住宅優惠稅率可用，但必須自己到稅捐稽徵處宣告，以降低一些房屋稅的繳交。最近各縣市地方政府在討論囤房稅，也由各縣市政府去訂定加收標準，尤其個人擁有三個房子以上，更會面臨較大的標準。

地價稅

除了房屋稅繳交後，依照持有的土地坪數，也要交地價稅，每二年地方政府會依不同區域的發展狀況作調整，以符合國父孫中山先生提出的「漲價歸公」概念，並能量能課稅，較符合公平正義原則。

大樓管理費

居住大樓，基於共同管理的職責，在一定戶數以上之集合式住宅會成立管理委員會，因此許多大樓也會僱用大樓管理顧問公司來協助大樓做好清潔、垃圾清運、電梯管理、信件包裹收取、人員進出管理以及大樓重要發電機、電燈以及相關公共場域之維修保養協助工作，因此依其坪數，有管理費用必須繳交。

停車管理費

大樓附設停車位，也要支付停車管理相關費用。

◎ 公共樓層及區域之水、電費用

由於住在大樓之公共用電、用水，需要由各住戶分擔，因此在水電費之表單，也會記載住戶相關的分擔費用。

◎ 房屋買賣繳交契稅及土地增值稅

在進行房屋交易買賣時，也要支付契稅及土地增值稅。

13. 購屋時要注意的重要事項

◎ 不要入住凶宅

如果居住或購買人家的二手屋，就要注意以往居住的狀況，一旦有人居住期間過世或不好的事件發生，對於進入居住或以後要出售都是不好。

◎ 不要有海砂屋或漏水

居住房子最擔心房屋漏水或買到海砂屋，這些在委託仲介時都會特別注意，千萬不要忽略，如果是自己的朋友交易買賣，也要去買制式表格做填寫，以排除一切不好狀況。

◎ 重要樑柱或主結構設施有遭受破壞

有些樑柱或主結構，因為發生地震而有破裂，但屋主運用油漆或其他簡易補強機制去掩蓋，在買屋時也要特別了解、請對方表明。

◎ 買透天房子，要特別關注有無電梯

人一旦老了，肩頸及手腳功能都會受到影響，因此許多人住在透天厝，結果在爬樓梯時，就會很受不了，因此在購屋時，會特別注意是否有電梯。

◎ 居住大樓的住戶素質及管理維護狀況

有時候，花了大錢，結果搬進去，就是一場惡夢的開始，鄰居及上下樓的噪音、吵雜、麻將、唱卡拉OK或半夜、晚上吵鬧，吵

架者多，如此的住戶素質不佳，也會影響大樓整體的價值，還有管理員的素質及服務態度也是評估重點。

◎垃圾的清理

住在大樓，一個重要的便利性就是垃圾的清理協助。

14. 實務投資案例

例：購買房地產轉出租的投資報酬率計算。如果購入一間房子，用來出租給學生，購買費用為1,200萬元，頭期款付了400萬，總共800萬要交本金及利息，利率假設為1.5%，房子共隔出10間房間出租，每月收入為5萬元，則是否可以成為一個划算的投資？

總收入為50000×12個月＝600000元

支出為

利息支出為800000×1.5%＝120000元（每年還本金，利息支出還可以遞減）

房屋稅及地價稅20000元

房子修繕費用以1200000×10%＝120000元

房子裡其他家俱及電話、網路線路之折舊費用1,000,000元×10%＝10萬元

則每年可以有600000－（20000＋1200000＋120000＋100000）＝24萬元之淨收入，而且每年收入也會逐年遞增，因為利息會越來越少，另外房租收入也會調高，假如每3年調10%，則20年的總收入也會增加。

60000×3＋126000×3＋198600×3＋278460×3＋366306×3＋406293×2＝180000＋378000＋595800＋835380＋1098918＋812586

＝3900684

因此

240000×20＋3900684＋400000（利息支出減少部分）＝9100684

則本金亦可全部償還，尚有剩餘1,118,684元，20年到期，房子不一定會增值，如果區位良好，保養得當，如果尚能增值1倍價值，則出售後，尚能賺取差價。

2400000－400000＝2000000元（當初投入費用）

2000000＋1118684＝3118684元

例：因此有人懂得出租之原理後，就一棟一棟逐步購買，從小額投資而後形成倍數效應，一旦擁有5棟，則在20年後，就能擁有超過億元資產。

例：純粹以買賣股票為投資之散戶，則必須賺取波段行情，而且投資組合不要太多，在每一個時期都能把握指標股進行買賣，也要設定在投報率20-30%時，在達標後就放手操作，改買下一支股票，則仍然會有快速複利投資效應。

假如本金投入500,000元，一年操作10支股票，每支1個月內買賣完成，或每2個月買賣完成，則經過5年的複利效應為多少？

$$500000 \times (1+0.2)^{10\times5} = 500000 \times 9100 = 4550000000\text{元}$$

$$500000 \times (1+0.1)^{10\times5} = 500000 \times 117.39 = 58695000\text{元}$$

$$500000 \times (1+0.15)^{10\times5} = 500000 \times 1283.7 = 541850000\text{元}$$

行情不好，也可以改採放空，一樣有獲利機會。

15. 法拍屋之投資

對於購買房地產的人，也有一種另類投資的項目，就是法院的法拍屋，由於房貸繳交不出來，或是拿房屋或土地去銀行作抵押擔保，但因為種種因素無法按期支付，或被銀行拿出來作拍賣，就形成法拍屋，因為法拍屋的拍賣不成有打八折的方式，所以就形成有利可圖之空間，有些人也會趁機買到較為便宜的物件。但是一般市場交易者，有的不喜歡法拍屋的感覺，所以就算比較便宜，也不會輕易去買賣，一則不了解其運作方式，怕增加困擾，二則就是一些忌諱心理，不吉利的思維。但是懂得其門道的人，也有許多人在法拍屋的買賣中獲利可觀，當然買賣法拍屋，也要注意一些細節。

◎ 物件是否有點交

如果買到沒有法院點交的物件，就存在許多挑戰，有的是原住屋主不搬，或想對買主要求一些回饋事項，有些人覺得麻煩就不想買，當然有經驗的人，也會從中了解一些狀況，如果評估自己能夠處理及面對，就跳下去買了，當然也會跟原屋主協商一些搬離條件，但是碰到蠻橫無理、難以溝通又會有些恐嚇動作，就比較耗用更多時間去克服解決。

◎ 海蟑螂之強賺利差

有些海蟑螂，跟法院互動關係良好，故意將公告買賣時間做手腳，讓正常買賣的人，不易準備及了解相關資訊，而一旦去投標，就會有若干動作阻撓，尤其買到後，再開條件賺差價。

◎ 好的物件資訊透明，許多人也會搶標

由於法拍市場已存在許久，早期關注的人，近年來隨著市場開班授課及參與投標人數眾多，碰到好的潛在物件，大家都會競相投入，使得大量利差減少，獲利機會相對打折，因此要賺暴利就少了許多機會，而且手上資金也要齊全，不能標了就繳不出錢，反而被沒收保證金。

◎ 要有好的配合金融機構作為融資管道

因為法院規定，法拍屋一標到，就要在幾天內交款，因此銀行貸款融資，也要跟著加速，不然自己手中也要有一定本錢，才不會得不償失。

◎ 可以委託特定專業人士代標，支付一些管理委託費

由於法拍投標程序仍有一些技巧，因此市場上也有所謂專業人士代標及處理相關程序，但就要支付一些代價。當然這種委託人要慎選，不要被存有壞心坑殺的人欺騙，所以也要去商場探聽一些行情，但建議最佳方式還是由自己親自參與最佳。

◎ 注意法拍房屋轉手買賣的高額稅率

因為政府的打房政策，不希望買賣速度太快，減少炒作空間及降低助長房價的漲勢，所以政府訂定所謂奢侈稅，交易時間低於五年者，其交易稅甚高，所以法拍屋的市場就受到影響。

◎ 在無法立即轉手賺價差的狀況下，物件的其他獲利價值就要思考，包括自住、轉租之規劃

對於法拍屋之購買，除了轉手外，目前也要規劃自住或轉租的

方向進行評估，因此物件的區域、未來增值，轉租之可行性，以及相關區位條件，就如同當初購買一般房屋一樣，要進行區域優勢之分析、比較，以篩選出合適的物件做投資。

◎注意購買物件之重置成本

有些物件，外表不錯，但買進後才知道踢到鐵板，內觀是一場糊塗，要花費一大堆費用去重新改裝，再加上原來投資成本繳交的經費，是否仍有市場增值空間就要審慎評估。

總之，隨著政府打房政策陸續推出，也一再重擊法拍屋的市場，因為轉手不利，也相對積壓一些投資成本，因此相關物件的選擇，就要更小心，如何確保有高額的價差空間，其事前評估就很重要，因此物件的查詢及實際造訪就要自己力行，尤其前後左右鄰居的詢問，是否房子有無一些發生狀況或為凶宅等，前屋主的良善程度，例如以前曾聽聞在房子抽水馬桶放入水泥，故意把水管堵住不能用的案例，有些人因為心有不甘，當辛苦一輩子的房子被法拍，心裡過不去，就做了一些讓人氣憤的作為，甚至玉石俱焚，尤其不能點交的房子，更有較大的風險存在。

對於任何一行的投入，專業用心都是基本規律，因此想走入法拍屋這一行業，除了法拍程序及作業要熟悉之外，面對各種風險的排除，也是要做好功課，在失敗中累積下次成功的經驗，並能有效複製一些成功物件的處理，這也是自己要建立的基本作業原則。而連接的行業，包括銀行業、清潔人力以及房屋維修、設計業，也都是共同合作的一環，缺一不可，千萬不要別人講說很好賺，就跳下去，結果反而被物件拖累。

目前在都會區中的法拍案件量較多，因此也要自己耗費一些時間，好好消化吸收，才能去蕪存菁，找到有潛力的物件，而後列出買賣程序即可掌握的融資及手中銀彈，進行投標。相關重大土地之購買，更要連接諸多都市計畫及區域發展之內涵，逐一了解，才能挑選出適合自己投標的物件，尤其現代社會物件轉換速度相對較慢，因此要評估自己擁有資本數量的多寡，才能出手買進管理有潛力的投資物件。

對於購買陷阱的規避也是重要學習的一環，買一本法拍指南的書籍來精讀，並且詢問相關法律及專業人士，才能從中找尋到黃金有潛力的良好物件，當然自己的心也要穩住，不要因為一件法拍成功，就自詡為專家，往往魔鬼藏在細節裡，千萬不能因小失大。

所謂行行出狀元，自己能把複雜的事簡單化、系統化，就能有面對更多的挑戰及加以克服，因此不斷自我提升及努力學習，才是累積自己成功之道的最佳途徑。

16. 藝術品的投資之術

在投資的另類產品中，藝術品也是其中大家較為熟知卻不易介入的項目，因為「藝術無價、骨董有假」，因此很容易被欺騙而不自知，所以有些人只是基於自己愛好在收藏，並跟自己的好友及同好互相把玩而已，真正把它當作職業者不多，而且也很不易保存，因為藝術創作者難搞，骨董的真偽性有時也要借助儀器去鑑定，其耗費時間及成本也相當可觀。

藝術品包括一般繪畫、書法、創作木雕、陶瓷及金屬品，以其他應用之材料所建立的藝術創作，只要在外觀及設計理念上，有得到藝術鑑賞者的認同以及拍賣官的賞識，又有富翁級有錢人士的投入，就會形成藝術品高價的市場。而更多藝術品在世時往往得不到世人的肯定，反而在其死後，經由若干人士的炒作，一躍而成名家名作者不在少數，如孫大千的山水畫，中國古代王羲之的書法，各式雕刻藝術製作的產品、佛像、飾品，歷經多少世代的錘鍊，而後才能成為後人認同藝術價值的對象，因此目前存在現代藝術的大作，不管是放在博物館的大作或私人博物館的珍藏，總是要經過一些拍賣或展演程序才能得其價值，因此藝術品為何不易保存，就其分析如下：

◎ 藝術創作人士，除個性不易掌握外，也有其獨特性，不安於現狀

有許多藝術創作家行為是放蕩不羈，也不見得可以容於世，外加許多才華洋溢，卻跟世人觀感不同道，因此自絕於外者相當多，因此作品不易外離、外展。

◎ 藝術價值的提升，需要有人為的炒作及助力，才能把藝術品的價值發揚光大

藝術品的創作要有人買單、認同及支持、欣賞，才有消費市場可言，有時也要透過人為操作來炒熱藝術品的價值及存在感，只靠自己是不夠的，因此作品傳達的意象及內涵也要有一些加工，才有機會提升成為名作，如〈蒙娜麗莎的微笑〉，就是一幅經好多人不斷討論的世界名畫，之前黃公望的〈富春山居圖〉也是一種故事的傳達，形成不朽的巨作，所以藝術品市場的經營是相當不容易的。

◎ 藝術品的創作，也要靠藝術經紀人及公司的運作，才有市場行銷的推動力

藝術經紀人及公司靠著在藝廊的展出，及相關活動的舉辦，來襯托出藝術品的唯真性及市場性，並加以行銷藝術品的未來保存價值，進而激發相關企業主的收藏動能，掏錢出來購買。

◎ 藝術品的風格要成為市場流行的趨勢，如此才能彰顯、提高藝術創作者的身價

藝術之所以能深入人心，是因為有激勵人心，感動藝術的層次，並能激發收藏者的觸動，才能進一步增進對藝術品的認同。

◎ 高單價的藝術品會透過拍賣公司進行處理

一旦藝術品成為收藏家競逐的對象，就會到拍賣公司進行競標，如佳士得，蘇富比等等，因此全球的收藏家也會投入來提高拍賣的價格，結果是拍賣公司及創作者、收藏家雙方共同獲利。

◎ 藝術品要經由畫冊及內容的介紹，來凸顯創作者的心境及內心世界的想像

買賣藝術品，先從看畫冊做起，經由故事及文字的介紹，來讓藝術品創作的背景及過程得到傳遞，進而共鳴出創作者的內心，以爭取收藏者的購買動力。

◎ 藝術展現過程，最好有創作者本身的參與解說，以爭取收藏者的出手

許多藝術品的參展，就是一種自我實力的展現，在跟參觀人員的互動過程中，也可以透過表達創作的心境及故事，若能得到收藏者的感動，就能完成交易。

◎ 藝術創作者要能適當融入企業家的互動中，形成附庸風雅的一種旁襯

為了跟收藏者互動交流，適當參與企業家的聯誼，甚至演講，絕對有助於藝術品的有效流動及交易買賣。

◎ 藝術品創作能真正成功者不多，因此買賣創作，有些是純支持立場，要有獲利都是不容易，因為是屬於寡眾市場

以藝術品創作維生者不多，總是要有謀生工具，否則就是家裡財富雄厚，或有欣賞的企業家長期在支持，然而有些只是站在協助立場，不一定能有效提升流通交易買賣量。

◎ 初期投資者，可以從小型藝廊著手，找出有潛力的藝術家，進行小額投資，等其未來出名，就有機會獲利，但可以成功機會較少

隨著國民所得之提升，成功賺錢的企業家越來越多，因此在公

司、家裡擺放藝術品創作的機會就較多，如此創作具有市場接受的風格或作品，都是在考驗創作者的創意及心境，尤其是藝術品創作人士，本身就不太喜歡如此隨波逐流，少數能夠走入藝術品高端市場者，才能得到市場若干人士的青睞，也才可以在社會上逐漸嶄露頭角走紅，但也要自己有所經營，或委由藝術經紀公司協助，才能在藝術品創作中屹立不搖，並能持續不斷創作。而作為投資者要從中獲利，也要憑藉自己的眼光及運氣而定，許多作品都是被藏在家中，或放在儲藏室，因此也就不易流通。

藝術品的投資方式，則要注意幾個原則。

◎ 從小品買起，累積鑑賞的能力

小品的尺寸比較容易入手，一則可以培養自己的欣賞及分析判斷力，二則也開始跟藝術創作者有較好的接觸管道。

◎ 多看展出，可以了解市場流行的趨勢及內涵

為了解藝術品的流行品味及價值所在，有時候多去看相關藝術品的展出，也可以從中逐步覺察大家共同的偏好及觀感，進而了解這個藝術品的可能潛在價值，而且經由與創作者的互動談論過程，也可以去思考創作者的創意、創作精神及態度，以及投入的努力，另外在現場有人出手購買的過程中，為何有人會喜歡如此的藝術品特色，如此漸進體會，就有機會形成投資的元素及決策判斷原則。

◎ 嘗試跟藝術經紀商或人互動，以瞭解如何規劃展演設計，並且如何經營看展人士及凸顯投入設計的主體

藝術經紀人是藝術作者的代表人，如何體現藝術品的市場魅力，也是要端視藝術經紀商或人的規劃能力及市場行銷而定，進而整合一些有興趣購買的社會人士，以找到潛在的買家。

◎ 了解藝術品拍賣市場的運作方式，進而培養未來進入藝術品投資的實力及能力

藝術品拍賣市場有其運作的規則，而拍賣方兩手一敲的頻率及叫賣方式，如何撼動潛在購買者的動能來加價，這才是賣點所在，當然未來自己如有財富實力，也可以實際參與藝術投資的交易。

◎ 藉由跟其他企業家及收藏家的互動中，適時提出自己收藏品的種類及特色，以引起其他同好的出手加碼購買

誰是有能力買賣藝術品創作者，才是真正可以交易的對象，因此一旦自己累積一定的創作及藝術品，在需要出手時，除了透過藝術經紀商之外，如何引起同好的喜歡，也是有機會出售藝術創作品的潛在市場所在。

◎ 評估投入藝術品交易的稅費觀點，避免得不償失

如何做好申報，交易的稅費，也是自己要做好功課的所在。

17. 投資理財的基本要件

要做好投資理財，創造財富，基本上是不會憑空掉下來的，仍然要具備一些基本功，才能有些本事去啟動一些投資理財的工作，因此在基本要件上，有一些事項需要符合及滿足。

◎ 投資理財的基本知識及概念

「投資理財人人要，克竟全功有多少」，所謂基本知識內涵，就是對投資理財產品的認識，利潤及風險何在，以及如何界定哪些產品是適合自己投入，而後才去了解這些相關產品的特性及買賣方法，並能掌握一些致勝成功的原則。

◎ 選擇適合自己的產品及身體力行

不是所有投資理財商品皆適合你投入，應該是衡量自己的條件，選擇自己符合的產品，開始加碼投資操作。

◎ 要評估投資理財商品的利潤及風險

有賺也會有賠，因此每一項投資理財商品也會因為特定背景改變，而遭到大量虧損，當然有些產品是需要長期投資，並非每一項皆能在短期中快速獲利，一旦面臨虧損，自己的容忍度有多高？自己是否能撐得住？

◎ 界定產品投資的結算點

包括賺錢或賠錢，都要有**結算點**，如此才能計算報酬率及損失的幅度，因此心中的自我盤算有多高，都要衡量清楚，才是正途。

◎投資理財的技術和新產品的專人，都在與時俱進

由於電腦技術的進步及分析方法之突破，應用AI及超級電腦運算的投資理財策略都要有所了解，如現在最新的程式交易，就是運用電腦運算功能，來幫顧客降低損失，增加獲利的過程，另外新的金融商品也推陳出新，尤其是數位貨幣、NFT交易、以太幣、比特幣等區塊鍊應用技術，也都在加碼加速發展，因此每個人想進入投資市場，都需要不斷自我學習及成長。

◎委任代操及專人處理之時代也已來臨，藉由共同委任方式，來凝聚眾人的力量及投入的金錢，去賺取共同利益，也相當盛行，如買ETF或其他基金項目

自己投入到投資理財的工作是相當耗費心力及傷腦筋的工作，如果一問不能買，就買權利，總是會有一些破解的方法，然而付一些費用讓專業經理人處理未嘗不是一個好的選擇。

◎賺了錢，對社會的回饋機制要加以推廣

所謂賺大錢，有時是老天在推你一把，除了自己的專業外，也要有好的機遇及機會來陪襯，所謂時候到了，自然好運就不斷，也是為自己的財富加分，因此多多回饋社會，也很重要，才能累積自己的善行，得到世人的尊重及認可。

◎不同年紀承擔壓力及風險的狀態不一樣，也要因地制宜

在不同的人生歲月中，對於投資理財總會承擔一些基本壓力，因此要懂得自我調適，避免壓力及情緒無法控制，形成反效果。

18. ETF的投資策略

ETF是近幾年在股市投資中大家會提起的名詞，全名是指數股票型基金（Exchange Traded Funds），是用於追蹤市場上主要指數的基金。而ETF並不是只買一支股票，而是許多股票或其他標的的組合，有其特定的投資標的組合，一旦大盤有不錯的表現，通常如果投資標的好，也會有很好的績效，因此投報酬率也不會很低，當然每一家ETF都有不同的投資組合，就要看基金經理人的選股風格而定，因此報酬率風險也是呈現不同的表現，有的相對漲幅較大，有的較為穩健，有的在多頭時期，漲幅特別明顯，但在空頭時期也會有巨幅的跌勢，這都跟選股的組合有關，而其營運特性如下：

◎ 有固定的投資組合選股標的

基於委任基金經理人的投資風格及資產配置，因此每一支ETF的投資標的內容也不同，有國內股市，也有國外股市，或其他金融商品，因此也要了解，才能清楚基金投資標的。

◎ 有利息收益，也會發放利息收入，有些則完全不發放

對於ETF，有些也會每年發放利息收入，作為投資收益，但有些則事先表明不發放，因此每家ETF的營運模式也不同。

◎ 券商要收取管理費用，一般不會很高，在1%甚至0.5%

對於購買ETF，就發行者而言，也要收取一定程度的管理費，作為支出薪水及獎金費用，各家的收費狀況也會有所不同，只是自己可以各方多元比較，沒有誰對誰錯，誰貴誰便宜的問題。

◎買賣ETF也要交證交稅，但比股票交易便宜，目前訂定的證交稅是0.1%

由於ETF在2020-2021年的表現相當亮眼，因此也有很多人買進，因為不用買一大堆股票，買了ETF，已幫你選好股，例如元大台灣卓越50證券投資信託基金（0050）及元大台灣高股息證券投資信託資金（0050），市場購買人數就相當多，也算是熱門商品，最主要的是操作績效高，投資人不用花腦筋，就能跟著獲利，也比一般銀行定存的投報率高出許多，所以有許多人就選擇購買。

根據統計，ETF的投資績效表現列舉如下：

排名／名稱	一週%	一個月%	三個月%	六個月%	一年%	三年%
1 國泰中國A50正2	9.24	13.51	11.37	-20.37	-32.03	1.14
2 元大滬深300正2	9.24	13.96	13.89	-17.41	-28.76	3.77
3 富邦上証正2	9.09	13.78	13.94	-17.34	-29.16	0.22
4 華頓S&P布蘭特反1	8.92	4.37	9.93	-4.74	6.32	--
5 元大S&P原油正2	8.70	-3.85	-46.04	-75.25	-94.99	-95.90
6 富邦深100	6.18	10.19	4.36	-12.00	-13.10	44.41
7 國泰中國A50+U	5.92	8.82	6.92	-6.42	-14.05	7.36
8 國泰日本反1	5.46	1.54	-1.75	-11.10	-15.84	-30.63
9 FH美國金融股	5.26	11.83	-26.24	-22.49	-21.05	--
10 國泰中國A50	5.21	7.63	5.31	-7.28	-13.42	7.19

11 期元大S&P原油反1	4.99	-1.17	-9.98	-48.47	-52.45	-52.42
12 永豐中國科技50大	4.98	7.70	-5.13	-22.49	-23.69	--
13 富邦日本反1	4.70	2.98	2.98	3.68	0.94	-30.25
14 FH滬深	4.70	7.52	2.69	-9.23	-11.27	15.58
15 元大MSCI A股	4.54	7.89	3.48	-9.03	-9.13	24.64
16 元大寶滬深	4.42	7.42	1.48	-10.38	-11.84	13.16
17 元大S&P500反1	4.14	6.06	17.69	21.97	10.43	-34.71
18 元大台灣50反1	4.07	4.26	10.94	10.53	4.07	-50.00
19 國泰臺灣加權反1	4.06	4.23	11.00	10.82	3.90	-50.00
20 富邦上証	4.01	6.34	2.30	-7.76	-8.96	7.74

資料來源：MoneyDJ理財網〈ETF排行〉

購買ETF的風險，也是存在，如同股票及其他基金一樣，一旦股市反轉進入空頭，則投資績效就跟著下降，因此仍要把握自己的投資買賣點，其投資原則如下：

◎ 選擇比較符合自己投資偏好的ETF，如積極型、穩健型、保守型

每一個人對投資的態度不同，因此選擇ETF的偏好也會不一樣，因此可以比較以往投資成效，作適當比較，以選擇出適合自己投資風格的ETF。

◎ 設定自己的買賣獲利點及停損點

買賣都有一個設定標準，當然也可長期持有，可是要進行買進賣出，也要事先設定好獲利%及損失%，如此才有投資成效可言，也可入袋為安，或減少虧損。

◎ 可以適時加減碼，類似長投的觀念

如果對於投資組合的標的有信心，認為值得投資，也可視同股票一般，在ETF淨值低點繼續加碼買進，以增進投資的績效。

◎ 要計入每年配發的利息，當作收入

ETF大部分也會配發利息，因此也視為收入之一項。

◎ 購買ETF猶如買了一籃子股票，只是由基金管理人去挑選成份股，因此如果自己對於股票有研究，則不一定要買ETF

金融業的投資理財商品眾多，每一項可以擁有不同的專業分析，因此如果自己對股票分析很到位，從股票的獲利就很高，如此也不需要再買ETF。

◎ 對於較無時間進行投資的人，ETF也是一項不錯的選擇，也可採定期定額買入

大部分的市場參與者，因為投資專業分析能力不足，因此ETF就可以成為一種投資標的，猶如懶人投資法，採定期定額買入，有時結算下來，投報率也能打敗大盤。

19. 虛擬貨幣的投資策略

虛擬貨幣是最近幾年大量流行的一種非實體的貨幣系統，本來是想去中心化，完成某種便利性交易而加以設計出來的一種貨幣型態。最早開始的就是比特幣（Bitcoin），而後以太幣、狗狗幣等一系列的虛擬貨幣就被創造出來，並成為流行的交易。去年2021年特斯拉的馬斯克就買了比特幣，結果瞬間就爆漲，目前的虛擬貨幣基於使用的限制及投資的需求，動輒大漲，如一塊錢比特幣已經要幾萬美金才可以買到，因此早期持有的人都發了大財，因為其數量有限，而且陸續透過挖礦機來解碼購買，又形成一股投資的新熱潮，但是因為不易查核交易人，因此某種程度也被淪為洗錢工具。因此有些國家的央行就不承認虛擬貨幣的交易，甚至也被禁止加以使用，作為商業交易之代幣。

虛擬貨幣是透過區塊鏈技術，其資訊相當公開透明，資產不放在一般交易所中，安全性高，但因為非由官方設定的交易所進行交易買賣，因此流動性較低，一般交易型態是透過網路進行交易，因此購買者以年輕人居多數。在中國大陸則禁止比特幣的使用，有些國家也制定一些管理規則來限制虛擬貨幣的流動及通路管道之普及。一般而言，就虛擬貨幣的特性可加以分析如下：

◎ 沒有市場交易所，僅靠網路上進行交易

虛擬貨幣是應用區塊鏈的技術進行交易，本身並設置有交易所進行交易買賣，其交易型態是以網路作為交易居多。

貨幣發行總量固定，後續交易單元就縮小至百萬分之一單位，甚至千萬或億萬分之一單位，因此虛擬貨幣的價格就不斷被炒熱。

ⓢ 去中心化的設計，跳脫以前央銀管控的貨幣政策

因為是應用區塊鏈去中心化來運行，因此跟之前央銀行發行的貨幣政策是不同的，目前採用去中心化政策，所以處理的方式跟原本的交易大相逕庭。

ⓢ 透過挖礦機來解碼，進而取得虛擬貨幣

虛擬貨幣是應用挖礦機試圖解決某些問題，所以要找到金主去挖礦相當不容易，也要有一定耐心及技術，才能挖掘到比特幣。

ⓢ 虛擬貨幣的漲跌變化性很大

虛擬貨幣因為發行量少，因此某種程度成為賭博的工具。

ⓢ 注意虛擬貨幣的投入及未來發展

虛擬貨幣的歸屬投入，有人有不同的看法，一旦列入貨幣交易的一種型態，則交易量就會大增，因此要去了解虛擬貨幣的世界，目前虛擬貨幣結合產品交易買賣也是一種運作的方式。

20. 購買虛擬貨幣的交易獲利及潛在風險

目前在年輕世代，以購買虛擬貨幣作為投資標的者，相當多，甚至抱持一夕致富的心理來作投資，因為前兩年真的太紅了，但當新鮮感不見了，也會影響持有意願，而且若干虛擬貨幣的漲跌幅相當大，因此風險也不小。

◎ 虛擬貨幣存在的價差對某些人的投資誘因就相當大

早期一枚虛擬貨幣，經過一年的轉變，有時就賺了幾百倍到幾千倍的錢，主要是因為價差大，但小額投入卻能大大獲利，因此吸引年輕人趨之若鶩，有些也是跟朋友一起集資去買。

◎ 虛擬貨幣的採礦成本高

以目前虛擬貨幣而言，其採礦成本大約是1,000美元/枚，因此有些腦筋動得快的人，就被網路上或其他通路上的廣告所吸引，認為其投資獲利相當可觀，而且年輕人也就勇於嘗試。

◎ 虛擬貨幣的持有及出售，是有一定遊戲規則

並非任何人都可以輕易使用虛擬貨幣，一般而言，虛擬貨幣的交易尚不普遍。

◎ 好的虛擬貨幣之交易是一種創新交易模式

虛擬貨幣交易也需要加入新技術，整體市場交易量也才能成長，但是虛擬貨幣的使用，除了帶給某些人方便外，也擴大了虛擬貨幣的應用空間。

目前流行的虛擬貨幣項目列示如下：

加密貨幣市值最高前10名統計（資料統計至2021/11/08）

貨幣	名稱	市值（億美元）	簡介
Bitcoin	BTC、比特幣	$1,229,199,253,394	最早推出的虛擬貨幣，於2009年由署名為中本聰（Satoshi Nakamoto）的個人或團體所提出的加密貨幣。
Ethereum	ETH、以太幣	$558,853,292,654	創建於2015年，創辦人Vitalik Buterin，是一個在以太坊區塊鏈平台交易的貨幣。 特色是具有智能合約，可以在區塊鏈外部撰寫去中心化的應用程式。
Binance Coin	BNB、幣安幣	$106,269,290,169	由幣安交易所發行的貨幣，沒有辦法透過挖礦取得，只能在交易所內交易。 特色是有特殊的銷毀制度，只要每季淨利20%就會回購BNB並銷毀，直到銷毀1億個BNB。
Solana	SOL	$75,044,903,371	Solana是一個去中心化的區塊鏈平台，SOL是這個平台發展的一個虛擬貨幣，與以太坊一樣可使用智能合約。

Tether	USDT、泰達幣	$72,594,887,663	美元法幣穩定幣，由Tether公司推出，用來穩定美元（USD）的代幣，1USDT＝1美元，用戶可以隨時使用USDT與USD進行1:1兌換。
Cardano	ADA、艾達幣	$67,889,987,631	在Cardano（卡爾達諾）區塊鏈平台交易的虛擬貨幣，目的是創建出比以太坊更完善、先進的智能合約，並且提供點對點支付功能，達到交易安全、快速、低手續費的目標。
XRP	瑞波幣	$60,816,861,333	由OpenCoin公司發行的貨幣，是加密貨幣又可以當全球支付的金融電子貨幣，目的在創建快速、安全、低成本的匯款方法。
Polkadot	DOT、波卡	$51,971,300,787	Polkadot是個應用多個區塊鏈的環境，著名的特色是能讓多個不同的區塊鏈彼此連結，DOT就是由Polkadot發展的虛擬貨幣。
Dogecoin	DOGE、狗狗幣	$35,892,856,758	DOGE是一種點對點P2P、且具開源性質的虛擬貨幣，因為它是以一張柴犬迷因作為形象標誌，因此也被稱為狗狗幣。

USD Coin	USDC	$34,362,983,536	美元法幣穩定幣，穩定幣是一種以加密貨幣的形式來模仿傳統的法定貨幣，1個穩定幣就等於1個貨幣單位。

資料來源：coinmarketcap.com；資料整理：Mr.Market市場先生

◎各國並非完全承認虛擬貨幣，因此其交易適用範圍也有受到一些限制

有些國家對於虛擬貨幣並不一定認同，甚至有些國家也制定法令來加以限制或禁止。

◎若干虛擬貨幣被淪為洗錢的工具之一

因為虛擬貨幣無法查到其交易人，就無法從中判斷及查核一些事情，所以很容易變成洗錢的工具之一。

◎虛擬貨幣未來交易單元如何界定

虛擬貨幣由於發行總量固定，不能任意加入及發行，但目前各方面之虛擬貨幣交易型態是否能被社會及國家制度接受，則尚有努力空間。

虛擬貨幣的交易模式：

◎注意漲跌趨勢，把握進入時機

由於比特幣的漲跌趨勢變化很大，如何呈現一個較佳的買點出現，也是要加以注意的焦點。

◎ 也要設置買賣的計算點

當有大量價差時，也要適時出手賣出，才能入袋為安。

◎ 元宇宙的盛行，也助長了虛擬貨幣的使用，因此其熱潮不一定會降低

在元宇宙之NFT交易中，以太幣被廣為使用，因此也推動了以太幣的發展，對於其交易未來性仍有發展機會。

虛擬貨幣種類太多，如何成為市場主流，也是一種相互的競爭，因此也有可能被淘汰，所以如果買到一些新型虛擬貨幣，萬一未來發展性不佳，也可能成為壁紙、不值錢。

虛擬貨幣也要有流通的能力，才能促進虛擬貨幣的流行，如果交易很難用，無法獲致大多數人的認同，那這一項虛擬貨幣就不能稱之貨幣了。

(1)比特幣的幣值變化（2015-2022年）

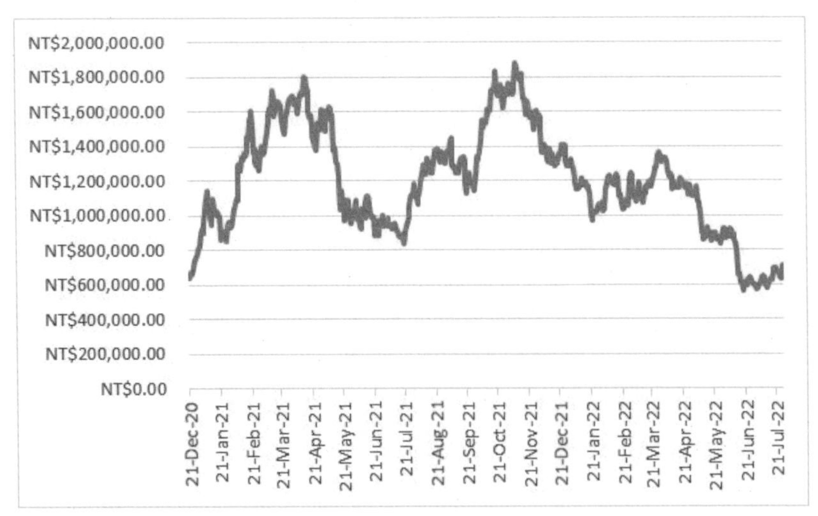

資料來源：https://www.dailyfxasia.com/cn/ether-eth

(2)以太幣的幣值變化（2015-2022年）

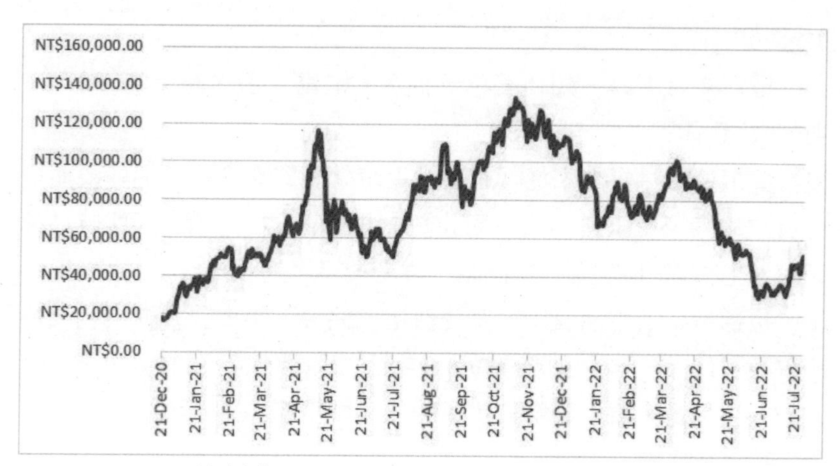

資料來源：https://www.dailyfxasia.com/cn/ether-eth

(3)狗狗幣的幣值變化（2015-2022年）

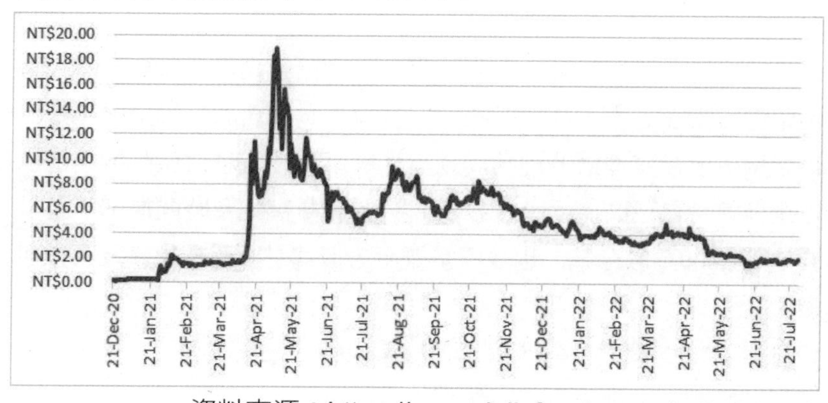

資料來源：https://www.dailyfxasia.com/cn/ether-eth

21. 如何賺得人生第一桶金

投資要有本錢，如何有第一桶金的財富，可先設定為100萬，則其來源可以下列方式來取得：

用薪資扣掉每月支出來進行儲蓄，這時就要省吃儉用，另外要能提高自己的表現，讓基本薪水可以相對提升，假設一個月可以有5萬元薪水，外加年終獎金二個月，一年總收入有70萬，扣掉支出費用，包括房租、生活費用、交通費用、油錢、停車費、紅白包及醫療保險費用，一年大約花費360,000元，則尚能存下340,000元，每年作些小投資，買下股票，可以賺錢，投報率10%，就有370,000元的儲蓄額。

自己也可以兼差，來賺取第二份薪水，例如當家教，或幫別人寫企劃書，或當外送員，或寫文章投稿，一個月2萬元，一年可獲得240,000元。

如此第一年存款就有610,000元，第二年存款就高過100萬。

開始進行投資計畫，購買股票或買基金，做好功課，選對股，如此也累積自己投資理財的經驗，逐步了解不同投資理財產品的內涵，並選擇適合自己的產品進行投資，只要發揮複利及時間價值，其實要達到1,000萬的存款，也並不是難事，但就是要落實規劃及累積專業。

一旦有了1,000萬的存款，可以進行房地產的投資及購買，一則享有增值的空間，二則也可進行房租出租的選擇，再進行另一種獲利的投入。

如果人生的運氣不錯，也許在工作二十年後，也有機會邁入5,000萬的財產。

期間，因為職務的晉升，薪水也會逐步調整，也要做好自己的保險規劃，包括主壽險，防癌險及其他醫療險之購買，儲蓄險也能作為資產配置的一環，做好不同的投資及資金分析與安排。

當然在20到50幾歲期間，已經開始結婚生子，相關生活開支逐步擴增之際，許多的投資配置也許就不能盡如人意，但如果將閒錢作適當地安排及處理，人生財富的取得也並非難事。

22. 不同人生階段的資金規劃

隨著人生資產的累積，如何基於每個人的偏好及專業，做好資產的配置相當重要，在青少年、年輕、中年及老年也都有不同的原則要予以建立：

12到18歲

人生最富有青春活力的歲月，就是國高中時期，有時也是相當叛逆的年代，也是父母親最頭痛的時期，在東方社會，通常父母親也都是相當疼惜的歲月，但也是跟家長較有衝突的時期，一般而言，父母親都會提供生活費及零用錢，如果自己有想法的人，也會在寒暑假去賺取一些工作所得作為儲蓄，並成為人生其他奢侈品購置的來源。

(1) 資金來源：來自父母、爺奶、祖父母以及其他長輩的贈予

A. 基本生活費：用於吃飯、坐車、買書及聚餐的費用。

B. 零用錢：用於購買飲料、看電影及電玩產品。

C. 壓歲錢：每年春節長輩所給予的錢，許多父母都是將其儲蓄起來。

D. 打工收入：額外工作賺得的收入。

E. 創新收入：有生意頭腦，在學校裡販賣相關物品的收入。

(2) 資金規劃：

A.	多餘的零用錢及生活費，放在銀行的儲金簿，賺取固定的利息。
B.	購買股票作為收入及投資使用。
C.	購買所需要的人生偏好的物品，包括衣服、飾品、唱片及玩具收藏。
D.	通常這個時期不太有收入及存錢的習性。

◎ 19到30歲

這是人生完成就學及初入工作的挑戰期，也是人生階段的最大考驗，如何有較好的未來，通常在這個時期可以定型，包括生活的態度、工作的思維、投資的習慣都是在這個階段會被塑造；也是人生的變化期，包括念大學、研究所、學歷的取得及養成、初次投入工作的選擇，也許已經娶妻生子，開始人生不同階段的磨練，也開始有養家及照顧父母的雙重壓力，但在目前世代，較少有小孩要養父母，不像四、五、六年級生，都是雙重負擔者居多。

(1) 資金來源：

A.	工作收入：進入工作職場的所得，也是一份薪水的來源。

B. 投資收入：有計畫性進行投資，一般會購買股票、基金及數位貨幣。

C. 父母親的贈與：為了提供小孩更好的發展，免於資金壓力，給予的金錢。

D. 兼職收入：除了正常工作又從事其他事務工作的收入。

(2) 資金規劃：

A. 作為基本生活開銷的支出。

B. 剩餘存款，作為儲蓄及投資，投資項目以股票及基金為主，也會開始購買保險。

C. 多元接觸各式金融商品，包括數位貨幣、外匯、黃金及期貨、選擇權。

D. 嘗試建立投資理財原則，比較各式投資產品回收之效益。

E. 可能也會進行創業及融資（作為購屋使用）。

F. 照養家庭、子女、父母的支出。

31到45歲

這是人生大量衝刺發展的過程，若干職務升遷及人生定位也會有較明顯地界定，是否有成就或追求的目標，大都底定，收入面也開始有明顯地增長，接觸面也日趨廣泛，而且也是人生最忙碌的時刻，包括父母親年老的照顧以及子女照養的投入，都會是蠟燭兩頭燒的狀態，然而人生較大變化也會在此發生，是否可以有較佳的人生發展，也都在這階段會呈現。

(1) 資金來源：

A. 工作的收入：在工作職場的所得，通常已大幅增加。

B. 投資的收入：投資的收入更趨明顯，如果保握得宜，也會有一定程度的收益利得。

C. 兼職收入：除了正常工作又從事其他事務工作的收入。

D. 父母親的贈與：年老父母提供的資產。

(2) 資金規劃：

A. 作為基本生活的開銷支出，包括家庭、子女、車貸、房貸、父母親的照顧。

B. 持續作相關保險及投資商品的嘗試及購買。

C. 已經有較為成熟的投資理財思維，大都已定型。

D. 也會進行創業投入，當然是否能成功，則不一定。

◎ 46到65歲

這是工作的尾段及退休前的安排，也是人生閱歷最豐富的時刻，大都已作到主管階級，甚至是獨當一面的首長、老闆、高管，收入面也達到最高峰狀態，但在身體層面也會出現若干症狀，通常父母親的狀態也是較多突發狀況，也許也會跟父母親別離，而子女也已長大成人，開始有自己的家庭，大都也會當上祖父母的狀態，投資的型態也從積極轉趨保守，尤其過了60歲更是明顯。

(1) 資金來源：

A. 工作職場的收入：擔任工作的收入，通常也有一定水準以上。

B. 投資或儲蓄收入：不管是投資股票、不動產或其他金融商品。

C. 繼承父母親的財產：父母親已老，也會處理財產分配事宜。

D. 其他顧問或其他職務的收入：因為工作位階及事業的提升，也會有若干不同層面的收入。

(2) 資金規劃：

A.	正常日常生活的開支，包括房貸、車貸及家庭基本開銷，子女結婚。
B.	用於投資理財：多餘的閒置資金，會從事不同項目的投資理財。
C.	購買大量保險及做好退休金的規劃。

◎ 66到85歲

已進入退休年齡，在安養天年的時刻，正常職場收入已不見，反而是以退休金為主，子女大都已長大成人，而且可能有孫子、女，身體逐漸衰老，許多部分更重視身體的健康為主，也都有固定的休閒娛樂活動及老友，投資以穩定的操作為主。

(1) 資金來源：

A.	退休金為主：主要仰賴各類退休制度。
B.	投資理財收入：主要靠投資房地產、基金、保險、股票為主。
C.	擔任若干專業性顧問或公司董事、政府委員的收入：以兼職性質為主，有些也會去上課。

(2) 資金規劃：

A. 以退休金作為支付日常生活開支為主。

B. 有些用於協助子女、孫子的生活及教育支出。

C. 作為若干穩定性的投資收入為主，不希望做太多冒險。

D. 重視保險，特別是醫療、癌症的保障。

E. 開始做好遺產規劃及公益的付出。

23. 資金的配置原則

對於個人所擁有的財產及資金，在日常生活規劃上，可以把握三一法則，一份作為日常生活所需支出的金額，通常越年輕，可以存款的部分就比較少，甚至會入不敷出，寅吃卯糧；一份是用來作為投資，創造財富使用，當然要端視對投資目標及所擁有的專業，以及對商品的認識而定，有些人是把握簡單法則，持之以恆，結果反而有好的收入，有些人是鋌而走險，結果不是大起就是大落；最後一份是應付緊急支出使用，人有旦夕禍福，突然大筆支出也是始料未及，當然隨著年齡及工作年資的增長，一般工作收入會提高，如此就有多餘的資金可用來投資使用，千萬不要沒錢，就大筆融資及舉債，在投資部分儘量以閒置資金為原則，否則如果用融資，一旦被斷頭，就要承擔大筆負債而血本無歸。在工作上還有一個問題需要面對，就是買房問題，一旦買下去，工作收入就要切割一大筆錢用以支付房貸，則在投資運用就會相對束縛。但是擁有一間房，也是一種人生目標的追求，我們也看到，現代有些年輕人是啃老族，有的期望父母親支持買房，給付頭期款，最好是直接給一間房，或是未來等待接收就可以。這跟四、五、六年級生的工作擔當有大幅不同，說真的，現代人相對是幸福許多，很多父母親都會幫小孩設想很多，也讓年輕人的責任感降低很大，所以有些年輕人開好車、吃好料、住高級旅館、出國旅遊都很捨得花，反而父母親不捨得花錢，就是要幫小孩子攢出一間房。尤其結婚後，生活壓力又更大，父母親也會煩惱小孩的生活問題，這也是現代「孝子」的另一種體驗吧！

在國外社會，一般在18歲以後，就會學習自己獨立生活，負擔自己的生活家計，但在華人社會，總是會照顧到念完大學，甚至研究所，還送出國，對於小孩子照顧得無以倫比，反而現代老一輩父母需要「承上、啟下，還要照顧自己」，這是四、五、六年級生的悲哀，也是種認知鴻溝。所以如何教育小孩子具有正確的照養及責任觀念就很重要，如果寵了小孩又惹了自己一肚子氣，只能怪自己從小對小孩沒有溝通好、建立對的價值觀。另外，時代氛圍及在年輕人同儕之間的認知觀念也覺得父母對小孩子照顧就是天經地義的責任，但等到父母親老了，身體出問題，要得到子女的照顧卻是相當不容易，因此等到自己老時，千萬要擁有好的身體，不然會自我怨恨一輩子，得不償失。

24. 生活開支的原則及節省方式

隨著不同年紀及階段性的改變，要負擔的生活支出也越形不同，但是如果能掌握自己的支出項目及金額，進行適當地節流，總是有較大的機會去完成，如果在生活支出面能了解清楚，也能做好自己的支出規劃，應該可以有一個自在的人生。一般而言，生活支出的面向可以有九大項：

食

A. 每日三餐、宵夜、下午茶

B. 水果＋點心＋食品

C. 冰品＋飲料＋咖啡＋果汁

衣

A. 四季衣服＋襪子＋內衣褲

B. 鞋子＋皮帶＋圍巾＋手套

C. 飾品＋帽子

◎住

A. 傢俱＋電器用品＋生活用品

B. 管理費＋房屋稅＋地價稅

C. 水電＋電話費＋網路費＋有線電視＋瓦斯費

D. 清潔用品＋衛浴用品

E. 房貸＋利息（可能會有）

◎行

A. 車輛油錢＋折舊＋維修保養＋車貸（可能會有）

B. 牌照稅＋燃料稅

C. 計程車＋代駕＋高鐵＋捷運＋公車＋其他運具

D. 交通費（出差費）＋停車費

E. 手機費＋月費

育

A. 子女教育費＋補習費＋才藝學習費

B. 參加音樂營＋出國學習＋念書＋遊學

樂

A. 相關娛樂支出：看電影

B. 看表演、聽音樂會、從事其他體育相關活動（打高爾夫球）

C. 出國旅遊、國內旅遊

D. 買樂透

E. 運動健身支出

社會支出

A. 紅白帖、紅包、父母奉養費

B. 捐助、贊助、社團、宗教活動支出

C. 罰鍰

D. 禮物＋禮品（三節＋過年＋生日禮金）

醫療

A. 健保費

B. 保險費

C. 醫療支出

稅費

A. 所得稅

B. 勞保費、公保費

C. 國民年金

為了解生活支出項目，可以每月區分不同項目之支出，預計記帳一年，平均一個月就知道要花多少錢，如表所示。

生活開支登記表

項目	1月	2月	3月	4月	5月	6月	7月	8月	9月	10月	11月	12月
食												
衣												
住												
行												
育												
樂												
社會支出												
醫療												
稅費												
總計												

因此如果要推動節流方案，就可以知道從哪裡下手，如：

A. 減少出外用餐之次數

B. 減少國內外旅遊之次數及費用

C. 減少購衣之支出

D. 少打電話、講手機

E. 少出去活動

F. 減少捐助或參加社團之費用

G. 少一點補習項目

H. 降低一些保險費用等等

第五章

社會的回饋與財富思維

1. 如何做好社會的回饋

人這一世來到人間，也肩負著某些使命，當老天爺讓你賺很多錢，也應是有些想法及任務，希望讓人去完成，當然有了錢，可以做比較多的金錢回饋及社會付出，財富較少，也可以做好一些小眾或更為弱勢的照顧及付出，更可以貢獻時間去做志工，協助一些勞力及體力以及創造力的付出，因此人人皆可做回饋，只是回饋的內容不同。當然有錢的回饋比較直接而快速，也可以請別人來協助，因此有回饋付出，才有美好的果實及分享可以回收。

人做好事，本就天經地義，如果一心為惡，經常會有報應，所以佛家勸人為善，為善也最快樂，而且無私的回饋更為高貴、更讓社會敬仰，當然人會因為有許多的牽絆，心有餘而力不足，自己有時都自顧不暇，如何去協助照顧別人？甚至也會想，自己生活都不夠好，為何別人不來接濟、協助我們？或是捐助給我們。當然每個人的心境皆不同，有些人可以看清時空輪迴的角色，願意用捨得的心去做些該做的事，例如台東陳樹菊女士，一位賣菜、自己對生活極度節儉的人，將省吃儉用的1,000萬捐出去，這是其他有錢人做不到的捨得及付出，也是讓人尊重及敬佩的地方。當然不是要求每個人把自己的身家財產捐出去，而是保持一顆為社會付出的心，願意捐助身家財產的一部分來幫助社會上應該協助照顧的對象，善盡自己的心力，匯集眾人之力，就會有一股龐大的力量去做一些善事，如同國內四大佛教社團，包括慈濟、法鼓山、中台禪寺和佛光山，也都在積累世間的善心，去成就一些好事，這也是一種善的循環。

財富的功用可以很多元，可以讓有些人每天享樂，不用做什麼事，就有豪宅可住，名車可開，但也許自己也要想想，可能是上輩子做了許多好事，這一輩子要輪迴下來享受一些好的生活也不一定。但是這種說法也經常流傳在世間，其實也是「勸人為善、多積陰德」的一種想法，而善的德性，也會影響下一代，甚至下下一代，千萬不要有了財富，就忘了自己的辛苦努力，以及其他人的協助，對別人的態度也不要以暴發戶的心態去看待別人，而且自己需要投入一些善意的付出及回饋，千萬不要就選擇逃避，不想出錢，認為無此必要，殊不知，「為善者必有多福，為惡者必有果報」，人人如能謹記在心，自然社會有祥和，暴戾之氣也會比較少。同時不要為了財富的取得，就不擇手段去做些違背天理的事，如此所得到的財富和金錢也不會用得安心。目前新世代的年輕人，有時為了賺錢，正事不做，反而參與不好的犯罪集團，如詐騙、販毒或走入黑道、放高利貸、圍事，收保護費，或聚賭，色情行業等各式型態，絲毫沒有羞恥心，四維禮義廉恥都忘光了，這也是世代交替要克服的鴻溝所在。

能夠擁有財富固然也是件好事，但是也要來得正當，半夜不怕鬼敲門，才能睡得安穩。因此如何在有生之年，學習投資理財的知識，建立正確有用的投資之道，並能在工作職位，善盡自己的任務，以逐步提升薪資所得，這也是人生應該走的路，不要一天到晚想著一步登天、一夕致富的幻想作為，而忘卻自己的本務。

回饋是一種對社會關懷及照顧的感謝，因為有社會的參與及融入，才有取之於社會，用之於社會的人生獲利，所以對社會的回饋及公益的付出，到頭來仍是會反饋給自己。因此自己經常做好事，對社會責任的善盡，也是自己在造福，對後代子孫也會有所庇蔭。

有人講，錢是身外之物，生不帶來，死不帶去，因此擁有財富，如果沒有把財富運用在正確的地方，仍然是死錢，或是傳給後代享用罷了。萬一後代不善加運用，把一輩子辛苦努力的所得，猶如放水流，一去不回頭，所以如何想得開，對自己及社會好一點，未嘗不是一件好事，如同基督教的奉獻箱，將每月所得十分之一奉獻給耶穌，讓教堂能運作下去，我想上蒼也會保佑每一個努力奉獻的人。因此養成回饋做公益的概念及行為，一則幫自己累積好的德行，二則也讓社會各角落可以得到一些溫暖的擁抱，何樂而不為呢？

當然有人講，自己都吃不飽，哪有能力回饋呢？其實回饋只是善盡人之能力，也能包括體力及志工的付出時間，都是不同的方式投入，但一樣對社會有很好的支持及贊助。

一旦社會正向付出的能量越多，就越能建立更為良善有愛心的社會環境，也才能改變社會中不好的氛圍，因此每一個人都有一些社會責任，大家齊心努力，改變自我的一些想法，就會有比較好的成果可以展現。

有時想想財富夠用就好，太多也會形成困擾與苦惱，尤其家中擺不平的爭奪，更是一種人生的憾事。有的更誇張，人都死了，尚不能入葬。之前有一位名人陳查某先生到現在已死了很久，卻仍不能安葬，我想他在棺材中，應該會很不舒服，所以人可以在某種程度上知足，生活也會比較快樂。

2. 財富的傳承

中國人講，「富不過三代」，所以財富的傳承就不是一件容易的事，因為後代子孫的表現及所作所為，能不能傳承上代的家風及門規，進而發揚光大，本來就不容易達成，因為第二代兄弟姐妹各自有自己的發展，如果爺爺輩又娶了很多房，不同房之間的財產鬥爭就會存在，真正能安然無恙者卻是少數，而且一旦財產分配下去，各房子女在士農工商都有各自的發展，是否不會受到外在的引誘而壞了家族名聲者也很難講。到了第三代又再開枝散葉下去，一般而言，當下一代受到的社會價值觀念及同儕思維的影響，甚至很多又到國外留學，喝了洋墨水，在整體思考模式更是不同，因此如何秉持最早一輩的創業思維及勤奮程度都不是很容易，自然財富的傳承就不易維持下去，除非老一輩的規劃制度健全，大家願意共同遵守才能把家族財產發揚光大。最典型的就是猶太人的家族傳承制度，有的是成立信託公司，有的是採公司制，每人分配股份，或當董事，並由最有能力者出來擔任總經理，別的人並不能發表意見。當然這都是一種考驗，因為只要有人生活過得不好，就會想辦法出來爭奪或破壞既有的制度，除非制度的運作很有原則，並有家族長輩來主持公道，才能將家族的經營一直維繫下去。

當然在設計家族傳承財富的制度時，需要考量一些因素：

◎ 家族成員的意願及共識

要推動信託或建立家族憲章等做法，必須要家族成員取得共識並簽署同意書，才能持續傳承運作下去。

◎能找到好的經營事業及管理財富者

家族財富的延續，尤其是事業的經營，也必須要有好的管理者、創新者，否則面臨外在市場的衝擊及考驗，可能家族事業就無法保有，而面臨結束或倒閉的狀態，當然如果是土地或其他財富資產，也要找到好的保管機關及管理人，如此財富才能不斷擴大。

◎家族成員都要有好的生活型態及得到妥善的照顧

如果家族成員出了一些不肖子或敗家子，很可能會不顧之前的承諾，反悔要求分家或分財產，因此如果傳承到第二代或第三代的生活落差如果很大，仍會有糾紛產生。

◎要有家庭委員會的仲裁者，解決爭議事項

因為時空的轉變，當初制定的家族憲章（共同規約），可能因為環境的調整而無法因勢引導，所以也要有家族長輩或委任仲裁者出來解決事務。

◎家族財富持續在擴大，資產增值仍在強化

如果家族財富經由信託行為或委任操作狀態，讓家族財富無法增值，甚至整體財富減損，就無法維繫照顧龐大家族財富的利益，因此若干制度也會面臨挑戰。

◎家族財富的分配及每年領取金額也要跟著物價及生活水準作調整，不能一成不變

隨著經濟型態的快速變化，生活費或家族財富的配置方式也要與時俱進，才能跟上物價的變化而得到適時的挹注。

家族成員皆要受到一定合理的待遇，包括教育及居住、照顧，如此

傳承的基礎才能穩固，尤其是家族後代成員每個人的成長及未來表現皆不一樣，但有一個基本生活水準，至少可以在社會上立足，找到好的工作。

因為婚姻關係及婚生子女繼承的爭議，也要適度納入考量，由於每個人的婚姻關係及是否有生育子女，都會影響後續繼承及分配的權益，因此相關可能衍生的爭議也要有所考量。

家族憲章訂定的內容，也要包括下列一些想法：

◎訂定每年財富分配的方式及基本額度，以符合基本生活水平要求

對於財富分配，可以依據評估可以掌握的財富作試算，讓後續家族的參與分配成員，可以取得一個基本的生活水平。

◎哪些人可以參與分配，以及日後繼承的方式

由於世代傳承是一代接一代，因此分配的成員數也會越來越多，如何確保後續的分配權益，也要有一個合理分配的方式。

◎財富操作或營運委託方式講清楚，以避免日後經營的爭議

財富不會一成不變，除非是公司不繼續經營或不再有任何創造財富價值的方式。最簡單的方式是放在銀行生利息，或長期持有一些績優股票或控股哪些公司等，但是要作重大改變，就必須召開家族會議作協調來獲得共識。

◎對於違反規定的成員，要有一定的處罰罰則

由於後代子孫的表現及行為是無法預測的，一旦碰到有人挑戰現有規定，或是想違背家族憲章的規定，就要有一定處罰罰則，最典型的就是拔除分配權。

◎ 要根據節稅及國家政策規定，適時調整分配方式

由於國家稅法也會修正調整，因此若干分配機制也要與時俱進，跟著改變，以免要交大額的稅給政府。

◎ 每個成員仍要自己去工作，去賺取及創造自己額外更好的生活費

有了財富的分配權，不是永遠都會很有錢，自己仍要有本事去賺錢，才能改善自己的生活型態。就財富的配置精神而言，只是提供一個基本生活保障罷了，尤其開枝散葉多了，參與分配的人數就會越來越多，如何維繫原先奢侈的生活就會不容易，也不太可能。

3. 富不過三代的悲哀與現實

財富的打拚總是由第一代的開創者擔任，需要投入較多的付出及努力，甚至也要能承受住商場上的競爭壓力；而第二代的人，在第一代有錢之後，就會想要提供較好的生活環境及教育水準，甚至送第二代的人出國讀書，一旦回來及接觸外面環境，有時就會覺得格格不入，無法融入第一代的想法及做法，當然有接班下去經營就會面臨考驗，一則第一代的人脈及經營哲學如何發揚光大？勤儉努力打拚的精神是否可以傳承下去？對於商業及工業的快速競爭是否能有效回應？如果第二代的人已經好高騖遠，不願意腳踏實地投入，甚至想著如何超越第一代人的成就，或是一步登天賺快錢的思維，如果運氣不錯，尚可以有好的接軌運作，社會上成功的案例也不少，如徐旭東的遠東關係企業，還有如蔡萬春、獎萬才的家族，都有不錯的第二代可以繼續發揚光大。但到了第三代，生活的條件更加優厚，甚至含著金湯匙出生，在工作觀念上，對於金錢的看法上，跟第一代就有嚴重的脫節，一旦交到不好的朋友，甚至做生意抱持不在乎的心態、賠了也沒有關係的想法，如此家族企業的傳承就會面臨很大的考驗。尤其第三代子孫已是在開枝散葉，加上孫媳婦、孫女婿，不同的人員進來，就會產生更多的不確定性及不可預測性，因此不可能保證每個人的能力及運氣皆很好，只要有人亂搞，就可能把家族的財產破壞掉，這也是富不過三代的主要原因所在。當然社會上仍有很好的家族表現，可能是家族的要求及大家的共識都有，不然看到長榮集團的內鬥，天天上演，之前是台塑集團的大房王文洋及三房李寶珠的爭財鬥法，這些都是大家看到的實際案例。而一般家庭，有時家道中落的速度也很快，所以如何積德福蔭子孫，並能作好教育後代子孫的觀念，才是正途。因此要打破富不過三代的魔咒，就要有以下的觀念及做法：

◎ 家長的身教及言教很重要

自己的以身作則，才能成為後代子孫學習的典範。

◎ 不能過度寵愛小孩，形成終身的夢靨

許多家族的崩跌，都是出在父母溺愛小孩及孫子身上，容許他有一大堆的錯誤或行為不當而沒有改善、糾正，任其胡作非為，一直幫他在擦屁股解決問題，尤其是父母親的角色很重要，要適時導正一些觀念或想法，否則很容易變成夢魘。

◎ 不能沾染惡習，尤其是賭博及吸毒

毒及賭是破壞家族財富最快的兩大殺手，一旦家族有一個人沾上，就成為全家族的惡夢，因為總有人容忍，結果反而害慘一家子的人。

◎ 做生意或投資失當，結果全家財富都賠進去，因此要有止血的作為

許多家族是栽在做生意或投資的過程，結果全家人的財富一夕之間化為烏有，有的被人騙了、做生意失敗，賠了一大堆錢，就把家族財富賠光了，因此必要時可以到法院宣布斷絕親屬關係，以避免受到牽連。

◎ 不能幫人作保的鐵律

有人喜歡仗義救友，結果一旦作保，就把身家財產也賠光了，

最後朋友跑了，不出來解決，又害了自己，這種案例也比比皆是。

◎遭遇事故或重病需要救治，也把家族給拖累，因此平常就要買好保險

有些家族成員因為對身體不重視，一旦遭遇重病，往往也要花大錢處理，所以為了確保自身的醫療保障，平時就要買好保險，尤其說服老人家就很重要。

◎培養每個小孩及孫子，都要有正常的工作及受到良好的教育，學得一技之長，如此才不會遊手好閒

有正常的工作及家庭生活，出事情的機會就會比較少，因此在家族傳承過程，要能讓每一個小孩或孫子都可以有一技之長，建立正常的工作觀念來照顧自己。

◎要推動家族的定期聚會，聯絡彼此的情誼，尤其是重要節日的凝聚

家族有共識的力量，則越會有向心力，也才能共度一切難關，因此強化家族的聚會互動，也可以消除許多隔閡，當然婆媳以及媳婦之間如何避免勾心鬥角，也要有家族大人出來告誡。

第六章

兼具快樂與財富的人生

1. 快樂重要，還是財富重要

快樂不只天上有
人間經常幾回聞
唯有內心可自問
轉換虛空靜思吟

快樂是可以隨時存在的感覺，經常有快樂感受的人，活得也比較自在，並能樂天而不會斤斤計較，很好相處。財富是確保自己生活無虞，並能照養家人，滿足購買想要的某些物質及精神欲望，因此有了財富，就比較不會為了沒錢而煩惱。有些守財奴是擔心自己錢財不保，或期望自己有更多的財富而汲汲營營，當然也不容易找到快樂，而是活在高度的生活及工作壓力之下。

有了財富，也比較能創造快樂的感覺，比如帶太太買一個生日禮物的驚喜、幫父親辦一個生日慶典、有機會到好的飯店去吃一頓大餐、買一些自己喜歡的物件，或出國旅遊去走走。可是沒錢一樣也可以創造快樂，比如協助別人找到路，撿到一個皮包，等失主領回，得到發自內心的感謝，或是自己捐款得到別人的掌聲，或到公園走走，聽到鳥類唱歌及清風吹撫的涼意感，這也是自己可以去創造快樂的元素，當然最好是財富有達到一定水準，快樂的感受也經常存在，這才是人生真正的意義及追求的目標。最不好的是沒有財富也不會找尋快樂，每天都活在痛苦及壓力當中，這是最不好的生活狀態。

如果為了獲取財富，結果把自己身體搞垮，到頭來只能每天吃藥或躺在病床上等吃藥或看醫生，這不是人應該追求的做法，也不會有快樂感。因此人生應該是快樂比財富重要一些，而財富可以幫快樂加分。但也要善用財富的價值，如果不會利用，那也是無濟於事。

追求財富的過程，也要注意自己身心靈的調適，一旦達到自己財富的合理目標，就可先暫緩一下，想想自己的人生要如何過下去，以及如何讓自己人生活得比較快樂。如果身陷泥沼，一心想追求更多的財富，就會不可自拔，被錢綁住，則人生的意義就走味了。所以要先設定自己的財富水平，因為已滿足一定生活的標準，不用一天到晚為錢煩惱的狀態就可以了。當然每個人的思維不同也不能要求都一樣，只是當自己願意靜下心來思考一下，財富與快樂的重要性，也許就比較通透了。一個快樂的人生的突破點，在於心靈的解放，不要被太多外在事物的定律所束縛，如此比較能體會一草一木的些微變化所帶來的快樂感，猶如現在很多人喜歡種一些小盆栽，看著長大、發芽、開花，就有一種療癒效應，不會覺得生活枯燥乏味，失去趣味性。

因此財富可以是人生設定目標的追求過程，也許在幾歲就可以財富自由，接著就要想著如何依循自己的人生態度去追求自在快樂的人生。當然快樂是一種感受，不一定要到幾歲才可以有快樂的感覺，只是相對而言，當有財富的基礎，就比較不會受到束縛，不用每天為三餐溫飽而努力，而是可以有自己的生活規劃，去找到人生的桃花源，所以有人退休，就買農地，蓋農舍，種種樹、花以及一些農稼作物，養一隻小狗，或其他寵物，過起不一樣的新生活，這也許就是快樂與財富雙具的自在新人生了。

2. 人為何不快樂

樂遊人間快活行
助濟眾生得民敬
不求虛名願捨身
但有修為入佳境

不快樂的理由百百種，但快樂的理由也有千千種，完全看自己的心境而定，當然人生在世，要完全如自己的意思行之，應該是不容易，就算千萬家財在身上，也是會悵然若失，產生不快樂，還有眾多煩惱事如何排解，都不是一件容易的事。但是境由心轉，就算遇到不如意的事，也能在逆境中自我轉化，所謂「道增上緣」就是這個道理。如同得了大樂透一千萬，在高興的當下，立即產生煩惱及不快，擔心被搶、擔心別人來借、擔心如何藏好錢，結果只是「快樂一瞬間、煩惱滿人間」，不僅沒有創造快樂的氛圍，反而衍生一堆不快樂的感受，如此人生就得不償失。而為何不快樂，其現象及理由大致如下：

◎ 跟心中的預期有落差，產生失落及失望感

原先覺得會如何，結果適得其反，因此覺得不快樂。如去參加一場比賽，興沖沖地去參加，覺得應該得冠軍，結果每場皆輸；或是去旅遊，結果跟自己想像有落差。

◎因為外在事件的衝擊，所引發的煩惱及糾葛

許多外在事件的衝擊，如自己好朋友往生、家人生病、上班被裁員、在上班期間發生擦撞的交通事故要賠錢、走路不小心跌一跤造成腳部受傷、吃到不好食物難以下嚥、被好朋友背叛，諸如此類，都會引發內心的不爽及產生煩惱心。

◎因為自己身體或行為不當，因而誘發相關的痛苦或懊悔

因為身體檢查出了狀況，或在公司表現不佳，或在學校考試不理想，或參加面試不通過，投標沒拿到等。

◎因為跟親人、朋友、子女、同學爭吵，所引發的不快

跟鄰近周遭的人產生不愉快的互動作為及言語刺激，所產生的不愉快。

◎因為投資失利，遭遇重大損失，造成的高度失落感

在投資產品中，因為判斷失準或被人欺騙，結果投入血本無歸，而產生的失落感。

◎嘗試做一個作品或完成工作，結果卻做不好，或是工作表現不理想，所衍生的自我苛責感，自責為何不能完美處理

對於執行一項工作或完成一項作品，但是卻跟原先構想有較大的落差或實質表現不當，所產生對自己不滿意的感覺。

◎追求一個喜歡的人被拒絕，或被拋棄的落魄感

投入感情被拒絕或被利用而後拋棄的失魂落魄狀態。

◎ 對於社會或國家發生事件或治理事務不滿，引發的感受

對於某些政治人物作為或國家社會治理事務不認同，所產生的不舒服過程。

◎ 自己內心因為不知足，不滿足或莫名其妙產生的怨懟心

覺得自己還可以更有錢，更可以擁有更多權力或財富，或自己突然心裡油然而生的一種怨懟。

◎ 因為家人離開或失去家人產生的失落感

因為自己家人遭遇重大變故，突生災厄，產生的感受。

所以不快樂的感受來源眾多，有些是心理因素，有些是生活因素，有些是自我感受，壓力承擔，無法承受，不滿足等等造成心理的反差現象。然後種種不愉快，是可以透過佛家修行來加以化解的，當人可以看清一切事物，自然對物質、名聲、財富、名利、怨懟、打擊、外部語言刺激、暴力行為，可以泰然處之，進而把不快樂的心情快速轉化成平常心，所以快樂的獲取，也可以有一些日常學習的模式。

3. 銀髮族的快樂方程式

當我們步入退休的老年階段，也是人生另一種考驗的開始，如何「快樂養老、慢活養老」，都是人生的重要學習過程，在此建議銀髮族的五老原則：

◎要有「老身」

退休步入老年，一定要好的身體，千萬不要百病纏身，一則不容易得到自己孩子細心的照顧，而且久了，就容易離你們老人而去，認為是一種艱苦的負擔，因此從中年起，就要懂得養身、養生，千萬不要捨不得花，到頭來只會更形難過及怨嘆。二則有好的身體也才可以去看大千美好世界、看孫子、跟朋友聚會活動。

◎要有「老本」

進入銀髮年紀，身上一定要有錢，講話才能得到人家的尊重，最忌諱的就是財產已分配給小孩，自己身上都無任何積蓄，這是老年最危險的事。包括子女、孫子可能都會有不好的態度出現，因此手上一定要有足夠的生活退休費用及房子，不要因為子女的哀求就軟心，一旦過戶出去，要再拿回來就很困難。目前社會有多悲慘案例，千萬要記得，不要到老又忘了。

而且老本可以維繫一定生活品質，包括食衣住行、育樂、社會支出及醫療、保險，皆有支付的能力，千萬不要期望跟子女要錢，子女可以盡孝給錢，那是你的福氣，但也不要覺得一定都會有好的運氣可得。如果錢能放在自己身邊，可以在孫子回來看祖父母時，當阿公阿嬤還能夠發紅包，孫子一定拿得很快樂，自己的尊嚴也比較能兼顧，千萬不要伸手去要錢，要久了就會很沒尊嚴。然而多少錢才是合理的老本？至少有一間不錯的房子，身上也有一定儲蓄，至少800萬到1,000萬元，每月也有一定的退休金，至少每月5-7萬，保險費用也很充足，也有一部車能開，如此的生活就不會很辛苦。

在社會上經常看到的案例，就是自己小孩有的生活不好過，父母親起了善心，就把自己的老本都給予特定小孩，許多後果都不太好，因為其他小孩覺得不公平，就不想盡孝了，如果那一個拿了錢的小孩也不長進，那就是老來的大悲哀，因此這些分寸自己要拿捏好，不要把自己的未來美好退休生活都給葬送了，兒孫自有兒孫福，不能盡如人意。

◎ 要有「老伴」

老了要有伴才能互相照顧，因此要善待自己的另一半。因為老了，沒有老伴，許多事情，尤其生病的處理，仍需有另一半去做較為合宜，如果由自己兒子、女兒及兒媳處理，都不容易長久，而且會引起紛爭，造成困擾，在諸多生活習性上，也比較清楚。當然如果另一半提早走了，也可以自己再找一個作伴的，太年輕也不好，有差一定年紀即可，但不要超過15歲，否則體力落差很大，也會不方便。

◎ 要有「老友」

退休族群，也要有活動往來的朋友，包括參加社團，同學或其他同事退休的夥伴，能夠處得來，可以談事的人也要有，才能有生活的重心，不要每天悶在家、不出去活動，這樣也不太好。如果有球友、牌友、旅遊出國的朋友、社團的朋友、同事等，也較能有一定的社交娛樂活動，腦筋也比較不會提早退化。而且不要過度依賴子女及孫子，或另一個老伴，當然千萬別去結交損友，或挖陷阱給人跳的壞心人，自己也要憑經驗去區隔。應該在平常就累積一些朋友，哪些可以交，哪些不能交，自己應該都很清楚，最怕的是臨老入花叢，被年輕人拐了、騙了。

◎要有「老趣」

退休後，能保有一些興趣，生活的重心及品味也能得到一些舒緩，有喜歡唱歌，打高爾夫球，打打衛生麻將、畫畫、吹奏樂器、慢跑、登山、健行，這些皆是可以培養的主軸，也值得老年人去嘗試運作，生活上也較富含趣味，甚至聽音樂、寫書、看表演或跳國標舞，都可以練習。當然也不能太入迷，進而影響基本家庭生活及睡眠品質。

人生在退休後如果能掌握五老，有快樂的生活，不要操煩一輩子，心境上較能放得開，有自己的生活圈，比較不會被綁住，並能持續照顧自己的身體，就是人間的福報。

4. 快樂是什麼

快樂要擁有
胸襟交朋友
拋開煩惱心
紅塵不續留

快樂是什麼？有人講，有錢就會快樂，是真的快樂嗎？快樂是人內心因為面對外在環境及行為的衝擊，而產生愉悅的感覺，心靈所產生出來的反應現象，一般而言會有笑容的呈現，內心相當澎湃，觸發的情緒令人感覺相當舒服，有時會開懷大笑，有時是喜極而泣，有時抿抿一笑，因人的情緒控管而有不同的樣貌，當然獲得財富的增加，也是快樂產生來源的一種型態，包括做成一筆大生意，薪水獲得調升，突然獲得一筆錢財，或是得了獎，或是獎金等等各式各樣的狀況。因為金錢具有支付的功能，因此當人們有了錢，就可以買東西來滿足自己的欲望，所以會有快樂的感覺，然而快樂的來源可以分成下列幾類型態：

心靈的滿足：內心因為某種感觸，而衍生出某種愉悅的想法，觸發內心產生快樂的感受，包括見到親人，受到家人的照顧及互動、得到子女的孝順及敬畏之心等，與孫子的互動過程或男女相愛過程。

通過某個事件的考驗：如考試過關、考上證照、駕照或者通過測試等相關不同事件的過程，因為努力完成，所以會有愉悅的感覺。

體驗自然萬物引發的舒心感受：當出去旅遊或走到山川景物的地點，自己親身經歷看到所產生的愉悅感，或在內心自然產生一種不虛此行的感覺時，也是快樂的感受。

做完善事或公益的一種回饋心情：人有慈悲心，當看到路上有窮苦的人家而發起救助的動作或行為，或從事公益活動結束後，在內心產生的一種自然快活的感受。

跟動植物的互動而產生的思維：如在家裡跟動物（寵物）在一起互動引發的行為，或是瀏覽、走過植栽物品或植物時聞到花香所產生的快樂養分。

參與或觀看運動競技活動的勝利過程，不管是自己身為球員或觀眾，一起融入運動比賽情境的勝利，所觸發的快樂心情。

經由某種比賽參與，獲得獎牌及名次的驚喜：個人或團體，參加比賽或競賽而獲得名次的心理感受及驚喜之情，因為努力沒有白費，包括參加歌唱比賽、科學競賽、發明獎，奧林匹亞競賽等各式活動競賽。

經由博弈行為取勝，而換來的獎賞，所獲取的快感：經由賭博或拉霸等過程贏錢，所獲得的一種感受。

戰爭打完勝戰，歷劫歸來的一種歷盡滄桑的過程：戰爭是殘酷的過程，能夠打完戰爭沒有死，也是一種人生自我慶幸的過程。

被發布晉升某些職位的一時興奮感：在工作或生活場域被提拔，被眾人或朋友恭喜，而產生的快樂感。

跟好朋友談心或喝酒暢飲的一種發洩心情及生活舒開的感受，有時候跟好朋友喝茶聊天、吃飯、開懷暢飲，也是人生的某種快樂境界。

完成工作及生活重擔後如釋重負的感受：一旦承受某種重大任務或工作目標而能順利通過或完成後的一種內心衍生的感受。

享受一頓美食或聽完一場好的演唱會、音樂會，在自我心靈自然產生的愉悅心情：經由參加一些食衣住行音樂等活動，在結束後，內心自然湧現的快活心情，包括吃到一個美食或小吃，住進一個好房子或剛參加某個活動，如讀書會、演唱會、音樂會或表演活動。

買完一些滿足自己欲望的事物或東西，所產生的快樂滿足感：人都有物質欲望，一旦獲得滿足，也能產生快樂的感受。

突然獲得一筆意外之財，一種喜形於色的感受：人有時候會因為幸運之神的降臨，而突然獲得一筆財富，可能是房子金錢或骨董或其他有價東西，一旦突然取得，也會有喜形於色的感覺。

因為生意工作而獲得財富及金錢的一種自我滿足：因商場競爭上或工作職場的晉升調薪，而讓財富提升，在內心產生的一種感受。

執行某些事情，而獲得眾人肯定的一種心靈的自我提升：因為執行一些事情，而獲得眾人肯定或讚揚的自我滿足之感。

另外在人類史上，也有一些相當不好的快樂來源分類：

專門欺侮別人，展現自己是老大的暴力犯罪過程：由於生長的環境不同，在心性逐漸變壞的過程，強將自己的快樂建構在別人的痛苦上的作為，也產生自己的快樂，但這不是正常的快樂，是屬於比較邪惡的過程。

因為欺騙、偷竊或用不良、不公正手段非法取得金錢的過程：有些人以不正當行為來謀取別人財富而成功的一種違背良心的過程。

以侵略、掠奪、強占別人國家領土、民眾為目的，而達成的快樂感：這些都是建立在別人痛苦上的過程，來滿足自己的利慾薰心。

以不當手段來達到自己升遷或影響他人無法升遷的一種自我快樂感：經由一些不當行為，如以黑函或誣告別人來達成自己升遷，阻礙別人升遷的過程。

以凌虐他人或動物作為自己快樂享受的一種非正常過程或作為。

所以說快樂的型態很多元，有時候人會不擇手段，來達成目的，獲取短暫的快樂，殊不知，這些都是在積惡果，下輩子，也許要還人家，因此佛家說「因果輪迴、報應不爽」。所以人不要只貪圖一時的歡樂，而影響到未來。

5. 快樂的方程式

快樂本來就存在於生活周遭，也都隨處可得，關鍵在於自己的心境的調整，如果對於快樂的找尋可以用比較輕鬆自在的方式去看待，快樂就無所不在，因為心靈的變化是一眨眼、一瞬間，沒有改變就只能維持原來的心態，但心念一改，就立即調整，如同變魔術一般，馬上就改變。

快樂的元素，本來就是多元而廣泛，舉凡看到一隻小狗的親密表達或撒嬌的動作，就起了相當療癒的心情，或是看了周遭的一小撮花，聞到花香撲鼻也是一種快樂，也不一定能得了大獎或賺了大錢才能快樂，因此快樂因素的找尋其實不用走得很遠，完全是自我心態的調整及思維的轉變而已，快樂的取得及產生並不難，完全取決於自己，但快樂方程式的內涵可以有幾個基本元素：

◎ 快樂產生可以分為有形的物欲、物質或活動產生的，以及內心自然湧現的心靈療癒或心情感受

有形的快樂，往往快樂的時間比較短暫，而內心感受的快樂則是比較可以持久。

◎ 快樂是心情的轉換過程

心情改變，心態就會不同，快樂也就比較容易取得及呈現，如果心態不改，就不容易快樂，心靈的僵固性就會很強，也比較不容易打開快樂的心房。

◎ 快樂是內心感受的調整、調適，因為受到外面的刺激行為而加以轉變的

許多快樂的本質是因為外面行為的刺激，而誘發出來心情的快速轉變，因此現場的氛圍很重要，一旦融入快樂的磁場中，很容易受到感染而開懷大笑，如同參加一場球賽，跟好朋友聊天，聽到一場激勵人心的演講等等，都會形成快樂的養分。

◎ 經常保持笑容的表情，快樂就會更容易

笑是一種催化劑，也是助長快樂的重要推手，常笑就會形成快樂的內涵，因此人如果習慣面無表情，快樂就很難喜形於色，因此如何敞開心扉，維持笑容的表情，才能容易跟別人打成一片，自然的融入到快樂的環境氣氛中。

◎ 快樂是需要被培養的

培養快樂，就是戰勝生活的圍籬，否則一輩子難過，就會很難過，如果能夠一點一滴地培養快樂的養分及內涵，許多生活的不如意就很容易改善，也會有比較正向樂觀的心性。

◎ 快樂是正向人生的最終點

正向的能量及生活，本來就是人追求的目標，如同不丹國是世界幸福感的最佳國度，其國家國民的所得很低，可是幸福指數卻很高，因為民眾願意用另一種正向態度來看待生活，不會過度沉溺欲望的枷鎖，否則就會覺得不快樂。

◎ 快樂要能有忍受孤獨之自我心靈成長之路

眾人一起融入，快樂的氛圍比較容易被塑造及感動，但不可能永遠都有一大堆夥伴或朋友相伴，在獨處之際，也是考驗自我人格及心理素質最佳時機，唯有自己可以挺過孤獨的時刻而不難過，從中找到獨處的樂趣。但千萬不要沉溺於手機與遊戲的快感，那是有所不同的。

◎ 快樂是一點一滴地累積其養分，而不斷成長茁壯

快樂的因子很多，有些則是要累積更多快樂種子，才能突破潛能來完成快樂的追求，亦即快樂是需要經營及累積的。

所以快樂是一個漸進養成的培育訓練過程，從出生，小嬰兒感受到母愛的需求而產生的滿足感，而後漸漸長大，受到父母最好的關注、愛心而養成快樂心情，在進入學校，感受老師、同學的彼此相處互動，學習過程一起感受，一起追求生活的內涵，出了社會，開始面對工作壓力的挑戰及同事、主管的相處，面對客戶的互動過程，讓我們開始面對生活的新挑戰，這時快樂產生的內涵及元素就更加不容易，因為當學生及小孩，歡樂情境大部分比較多，互動也比較無私，但是結婚、生子、工作的生活新挑戰過程就不容易時時保持正向心情，快樂的挑戰事項也比較多。

6. 快樂的修持

◎ 要有平常心

對「人世無常，世間百態」，可以輕鬆看待，「一切皆平常、萬物皆自然」，保持平常心是人生境界的躍升，更是人生修為的培養。

◎ 要能做好心境的轉化

萬法唯心造，心是靈魂和意識的主宰，心能導引心情，也能改變心境，不好、不快的事件，能予以轉化調適，可以從不舒服調整成沒關係，能接受，轉移重心，重新找尋。

◎ 要能不斷練習

快樂是要練習的，經常練習，才能讓「苦楚一秒鐘，心情大轉變」，當然講得簡單，做得困難，因為面對若干事件的衝擊，如何化悲憤痛苦為重生力量，是件不容易的事，有些人從此一蹶不振，如行屍走肉般活著，找不到人生目標，不知為何而活，因此自己的開透、想透、頓知都是一種覺察的歷境，唯有不斷練習，才能突破盲點及困境，進而衝破人生的枷鎖，邁向自在快活的人生。

◎ 要保持笑容的自在人生

笑能解千愁，能治百病，也能快活人心，因此保持笑容，才能轉危為安，建立更為自在的美好人生。但是找尋笑的泉源很重要，從任何一個小點著手，從小處的觀察體會，慢慢了解消化，展現笑容，就會有一個快樂的人生，否則就是悲慘不快活的人世。

◎ 要能知足

所謂知足常樂，降低人生滿意的水準及層次，不要過度奢求及要求，先知足，才能到彼岸，否則就一直在苦苦追求，永遠沒有盡頭，人生也才能有較好的圓滿自在。

◎ 願意用心去體察任何一個美好的事物或過程

一沙一世界，就代表小小世界也有許多美好，只是自己能否用心去感受罷了，所以心靈的再造很重要，新的體會觀想事物或歷境，就能找到快樂的元素，快樂才能凌駕痛苦及不舒服的感受。

◎ 讓自己沉澱下來

心的沉澱觀想，就能看清世間百態、萬物的互動，不就是如此，而佛家世界的修持就是一種進階的投入，在凡世的入修，也一樣可以有參透的本事，其中心靈的沉澱，就讓心的寧靜去體會，也會有令人意想不到的效果。

◎ 不要給自己太早下結論

衝動下做出決策的思考，不一定能真正解決問題，緩一下，柳暗花明又一村。

◎ 不要輕易跟別人比較，爭執是非對錯

有比較，就有憎恨心，為何別人可以如此？我為什麼不行？面對事物的爭執要一個是非，有時爭到最後，只是在自我安慰而已，別人也覺得莫名其妙。

◎ 要想像美好的事物

看看孫子的燦爛笑容，觀賞一個美麗的花朵，仰望藍天的雲彩幻變萬千，七彩圖案呈現或端視萬家燈火的那一份靜謐安詳，爬上高山一覓眾山群繞的雄偉壯闊，走到河流及湖泊旁邊看波光閃耀的亮麗景象，甚至吃上一口自己喜歡的美食，那種身心的飽足感都是一件件令人會心一笑的快樂畫面。

◎ 多禪想，體悟大千世界的多元變化

世界之大、無奇不有，而且天外有天、人外有人，自己到底能做什麼，事物都已決定，能改變世界多少，也都有其定律，悟出其中的道理，萬物自然不再與你為敵。

◎ 思考自己能為世界、地球做什麼事

自己在人世間的本務是什麼？為何來走這一遭？是要盡什麼責任？作為地球公民，自己的工作在哪裡？如何善盡公益，為社會多付出？未嘗不是一種人生的自然循環解脫輪迴的事情。

◎ 降低自己的物質及財富欲望水準、生活會更快樂

追求極致的高貴高檔生活，擁有更多的財富，是否就會帶來快樂？還是設定較為低層次的生活水準，則在日常生活會更加活得自在。

◎ 想到就寫下來的生活週記

記錄人生的快樂事，就是一種人生週記的漫遊，往往再等一些時間的回顧，會有令人意想不到的快樂感受，原來自己可以過得如此快樂。

◎ 找到減壓及紓壓的良方

壓力常是不快樂的來源，但又是人生的必備工作過程，然而如何有效減壓及紓壓，降低生活重重的壓迫感，也是自己的一種生活追求必要之道，有的人喜歡走路、慢跑、游泳、打球、爬山、打坐、聽音樂或騎車去漫遊，到一家舒適的咖啡廳坐下來享受一種心靈的快感，或是走在公園散步，聽聽鳥語花香的自在感，或找幾個三五好友一起暢飲的樂天逍遙行，或是到郊外走走的舒暢感，或看一場驚心動魄的電影，而在紓壓的過程最忌諱的是又造成另一種對身心靈的壓迫感，這就不是良方了。

◎ 要有傾聽心聲的心靈夥伴或益友

如何找到可以紓解心情，傾吐心境的良友或導師，也是在面對不好情境的另類主軸，當然不能把所有雞蛋放在同個籃子裡，也要有些不同類型的好友，可以調整心情。

◎ 培養一個好的興趣

一旦不好的情緒上升，就用另一個感受或心情的調整去蓋過，也是一種不好心情的調適方法，其中興趣的培養就很重要，現代人都沉溺於電玩、手遊、這不是一個好的方向，因為會傷身體。

7. 人老了如何過一個快樂自在的生活

人老了，是在享受退休銀髮的生活，而不是一天又忙碌緊張、高壓的生活，那就失去退休的意義，所謂退休就是自己可以決定做什麼事情，不會受到外在人事時地物過多的束縛，才是一個快樂自在的生活，當然要達到如此境界，也要有一些基本條件：

◎ 滿足自己的合理物質及消費水準

人老，要靠自己的財富及退休金來生活，如果財富不足，不能滿足基本合理的物質及生活水平，就很難達成退休有品質及尊嚴的生活，因此自己要能累積一定財富水準，來滿足生活的水平，而一個合理的物質及生活水準是什麼呢？

(1) 滿足基本三餐的飲食水準

合理估算一年的三餐基本水準為何，要達到的水平又界定在哪裡？

A. 一月固定可以去好的餐廳，享受一下不錯的服務水準，可能是特色小館或高級餐廳，依照自己的財富能力而定。

B. 當子女或孫子女回來，可以共享團圓的聚餐。

(2) 一個月可以規劃一次風景遊樂地區度假

可以到外地去旅遊觀賞各地的風光、風土民情，體驗之前無法去的景點，包括寺廟也可以去參拜禮佛。

(3) 可以購買自己喜歡的物品，包括衣、住的產品及音樂服務

不管去百貨公司或電商郵購，或去相關音樂的服務，如唱卡拉OK或跳舞的地方。一般而言，基本上一個月的花費要能在5萬元以內完成，而且還包括：

A. 營養保健食品的攝取

B. 水果及茶類、咖啡的消費

C. 酒類的購買

◎ 安全、舒適的家

人老時，有一個不用再貸款的家，也是重要的元素。如果老了，還在付貸款，就會有無形的負擔，所以最好在退休前，就把貸款還清，剩下的只是一些大樓管理費或是衛浴、生活、清潔用品的花費而已，而且相關傢具及電器用品都齊全，就不用再大量購買了。

◎ 子女有一個不錯的家庭婚姻生活

許多老人退休，生活的重心仍然在子女身上操煩，一會兒擔心小孩、孫子如何，反而自己沒有穩定的生活節奏，當然這也要子女都有一個不錯的家庭生活，如果尚需父母接濟照顧，就無法成就一個較為無憂慮的退休生活。

當然含飴弄孫也是當爺奶一個很大的快樂來源，但是不鼓勵跟子女住在一起，因為容易產生衝突，尤其婆媳之間的生活困擾，都是一些導火線，自己也要想清楚，因此平常就要跟子女建立正確的相處之道，才能避免過度介入子女的生活而引發困擾，較佳的方式是可以住在附近，想吃飯就過來，也可以經常互動，反而彼此都比較自在。

◎ 有一個良好健康的身體，避免成為子女的照顧累贅

現代社會養兒防老的觀念已過去，自己身體要顧好，不要仰望子女能盡孝，那是不可能的，所以跟自己的另一半要有好的健康觀念。

◎ 要有自己的生活模式及交友互動關係，不要巴望子女經常往來，要建立自己生活的重心

不要把自己的生活重心放在子女身上，這不僅造成壓力，也會妨礙自己的生活紀律及模式，自己有生活的互動朋友及社團圈，也比較不會無聊，也給子女有較大的生活自主空間，當然定期團聚互動是需要的，但千萬不要太親密，反而不是正面效應。

8. 人生財富自由及生活目標

要達到人生財富自由，大概要有閒置資金3,000萬元左右，沒有房屋負債，有自有房屋，保險也都有安排購買，相關金融及投資產品也有投資，這時就能享有較大的人生自主權，當然要達到如此的境界，必需要有：

◎良好的工作收入及穩定的待遇

在工作投入及付出之際，也已擔任一定職位的主管，因此年終總所得也有一定水準，至少在150-200萬。

累積自己的專業投資能力及分析技巧，因此投資利益所得，也能相對在50-100萬間，以後尚會逐年累積財富。

相關生活支出及生活品質皆能維繫在一定水準。

確保自己的健康無虞，不要過度操勞而生病。

對社會要有定期付出回饋的心境，人生所得之一部分可以用來投入社會的公益付出及捐助，贊助社會弱勢及需要協助的團體。

累積自己的人際關係及網絡，可以獲得更好的投資機會，如購買土地及投資公司等事宜。

◎增進自己的專業技能，成為社會被尊敬的人士

專業有智慧的人士，也是社會上能被尊重及認同的人士，千萬不要自己只關在自己的象牙塔內，自我獨享。

◎照養家庭、父母、子女，成為一個完整的親子、夫妻及父母關係

在賺錢之際，也不要一毛不拔，也要對家庭有所付出及善盡照

顧之責，不要只會花天酒地，結交損友。

◎ 培育良好的興趣及生活休閒活動

人生也要有一些趣味及休閒的主軸，如此才是一個有意義的人生，因此可以有球類活動，如打高爾夫球、網球、羽球、游泳、以及登山健行或唱歌、表演樂器等的休閒娛樂活動。

◎ 參與社會上公共事務，可以提出良好的建言及對策，成為跟社會接軌的人

公共事務的投入，是每一個社會公民的職責，至少可以為自己的家鄉或故鄉善盡一些良好的推動做法，以改變家鄉或故鄉的風貌及發展。

◎ 結交一些良友，形成年老的共同老友，一起休閒及旅遊、吃飯、聊天

良好的朋友，也是人一輩子應該追求的夥伴，人總有心情鬱悶，而良友的互動及慰藉，則是一種催化劑，可以化解許多苦楚，當然也可以一起旅遊及休閒，共同建立美好的時光。

◎ 撰寫人生的故事，寫下一些回味及過程，因此撰寫傳記或是主題式寫書，也是人生的生活串聯分享

留下一些人生的記憶資產，其中生活故事的投入都是值得回味、品味再三的重要回憶，因此在其有生之年，可以記錄下一些人生的趣味，也可以算是不虛此行。

第七章

結語

1. 觀念一瞬間，改變在個人

快樂是一個代名詞，人的感覺才是最真實。虛幻用金錢買到的快樂通常不長久，因此心靈的解放及調整，才是真正的路徑，在滿足自己生活所需的財富目標達成，人生的境界就可以進入到另一個層次。有時候快樂是無所不在的，關鍵在於自己的感受及鬆綁心靈的束縛，心開了，快樂就來了。

當然人世間本來就不是隨時都存在快樂，所謂西方極樂世界，就已跳離天地人三界，而進入到另一個柏拉圖世界，在那個世界，不會心有罣礙，不會妄想諸多的苦惱，因此心境自然也就跳脫真實人生，因為人有喜怒哀樂，七情六慾，種種得不到、求不到，就會有落差，快樂就無法長存，而人自呱呱墜地，只要吃飽睡足，就會看到滿足的笑容，又有父母最初的疼愛，那一種純真的笑容則是最無私的呈現，當父母看到小嬰兒笑起來，那種心情的綻放及自在感，我想許多人都體驗過，甚至許多煩惱也會瞬間化開。因此快樂是可以找尋及界定的，不是很難找到的，往往都是存乎一心，如何應用及發揮就看每個人的修為而已。

因此在深山修行的老和尚或修道人，對於世界萬物的理解及看法，自然不同於來自一般凡間俗世的民眾，會有相同的意境，許多得道高僧，已是了脫生死，對於人世的見解，自然也就不一樣，而且隨時可以法喜充滿，聽聽萬物的起落揚止，在覺察世間快樂的事物，自然也就比別人有更多的接受了。

2. 享受快樂、累積正向的新人生

快樂是無所不在，只要自己願意放下心，用心去體會感受，就可以覺得快樂在身邊。人當然會面對生離死別、酸甜苦辣等人生的磨練及考驗，但是如果以正向的態度來面對人生，其實生活也會比較好過，而且也會充分感受快樂帶給人們身心靈的躍升及成長，佛家經常希望人可以放空來看待世界，就比較不會有憎恨心、怨懟心、忌妒心、比較心，當然自我修行過程不可能一蹴可及，仍需面對種種挑戰的試煉，才能衝破難關，建立自己美好正向的人生。

如何找尋快樂，在身邊的一善行、一動一靜，皆有歡喜心可以串聯。有一個公務人員，在上班地點覺得很不快樂，認為上班很痛苦，同事很難相處、工作很難做，結果她碰到一個人給她開示，請她記錄每一天感覺到快樂的事，她就真的開始記錄：誰送給她一個蘋果吃、民眾謝謝她的熱心幫忙、主管對她有所讚美、民眾謝謝她的工作付出，等等，結果每天越記錄快樂的事，就忘記痛苦的事了，她也就覺得上班很好，上班很快樂，這個就是轉念。所以快樂與否是繫乎每個人的心情與心境，境隨心轉，一轉念就會不一樣，每天多想想快樂的內容，就會忘記不好的困境，讓快樂的情境充斥內心，就不會覺得痛苦了。

快樂是要經營的，從每天生活開始，就跟自己討論，哪一件事是有快樂的元素，自己就要笑一笑，並要懂得自我分享，久而久之就會養成習慣，經常快樂，經常笑，就會影響別人，成為大千美好世界。當然講得簡單，做得困難，因為生活每天都充滿諸多變數，尤其官位坐越大，所要解決的事情就越多，當然就越不容易，但是換個位子，要達到有成就、有快樂的地方會越容易，只是自己有無察覺及感受罷了。

快樂是可以創造的，對於行善事、做公益經常是舉手之勞，如何去落實就看有沒有放在心上，如果三不五時想起來就去做，心靈也會很充實。台灣社會就是一個很有善心的寶島，經常有許多悲慘的案例一發生，馬上湧入一大堆捐款及關懷問候，所謂「人飢己飢，人餓己餓」的悲天憫人胸懷就會湧現，所以是隨時可以創造快樂的。

另外身旁的娑婆世界也有存在許多快樂的元素，今天水果多買一些就送給同事或秘書或下屬，別人也會心懷感激的心；在心情鬱卒之際，就到草地上曬曬太陽，或到大樹下乘涼，享受清風吹拂的快感，也是帶給心頭一陣涼意及舒服。這何嘗不是一種追求快樂的感受，所以每個人都有自己找到快樂的方式，但是自己內心是否要去啟動罷了，尤其不要覺得很難，起頭難，再做就不難。「莫道難起快樂意，只是心中未動啟」，所謂心有動，就有成功的機會。

快樂跟正向有什麼關係？正向代表一種正面的態度，也是正能量的化身及驅導，而快樂正是重要推力，經常能感受快樂的人，必定是有正向的態度與心境，因此保持快樂心境，迎接正向人生是相輔相成的過程。有了快樂的加持，對許多事情較能應用正面的方式去處理、看待，也比較容易完成事情，而不是自我抱怨，總會一事無成。

因為困難是一定的，但要突破，有效發揮自己的潛能，就看自己的本事及努力。我們看到許多活動的完美呈現，經常是許多人殫精竭慮地付出所達到的成果。快樂的工作乃是抱持一種正向的工作態度去看待平常工作的本質，從工作中找尋快樂的種種元素及組成，讓人在工作過程中可以跟快樂的心情相互結合，如此工作的無趣及抱怨就會減少，所謂「樂在工作」就是如此心情的呈現。然而要持續保持正向及快樂的工作心境是不容易的，一則工作過程總會有一些不如人意的事發生，如何克服不佳的心情，就要自己找尋一些可行的方法去調整，越能從泥沼中走出來，越能有良好的工作心情去呈現。然而成事在人，所有的關鍵都是在人的心靈，能夠較為樂觀積極正向的人，越能找到好方法去調整，否則就會一蹶不振，很難翻身，甚至會越陷越深而無法自拔，整個人都被匡住不動了。

每一個快樂大道都有道路可通，也沒有捷徑可言，心情放得開，以「堅持無畏、樂觀進取」的心境才能有較好的潛能被激發出來，因此找尋自我成長及突破的動能密碼很重要，但也要自己去體會、去自我覺察，才有更好的快樂境界可以被塑造出來。

參考文獻

- 民國111年2月底之存放款餘額

  金融監督管理委員會銀行局，網址：https://reurl.cc/D31moe。

- 股票總市值

  TWSE臺灣證券交易所／市值週報，網址：https://www.twse.com.tw/zh/statistics/statisticsWeek。

- 民國111年土地筆數面積公告土地總價值

  內政部地政司，網址：https://www.land.moi.gov.tw/chhtml/content/65？mcid＝2942&qitem＝1。

- 人均資產

  中時新聞網〈台灣人超有錢　亞洲第二富！網哭喊：我拉低平均了〉，網址：https://www.chinatimes.com/realtimenews/20211009003640-260410？chdtv。

- 家戶負債

  聯合新聞〈網國富調查　人均資產479萬元〉，網址：https://udn.com/news/story/7238/6275058。

- 民國107-110年機動車輛登記數

  交通部統計查詢網「監理簡易資料查詢」，網址：https://stat.motc.gov.tw/mocdb/stmain.jsp？sys＝100&funid＝a3301。

- 黃金總量

  ETtoday新聞雲〈央行金庫揭密！黃金儲備全球排第13名　金價上漲市值破5,200億元〉，網址：https://finance.ettoday.net/news/1414648。

◎平均國民所得

行政院主計總處《國民所得統計摘要：民國40年至110年》，網址：https://www.stat.gov.tw/public/data/dgbas03/bs4/nis93/ni.pdf。

◎平均儲蓄率

公視新聞網〈疫情導致消費力下降　去年國人家庭儲蓄率24.5%創20年新高〉，網址：https://news.pts.org.tw/article/540196。

◎各國匯率走勢

Brain，網址：https://braincompany.co/。

◎ETF的投資績效表現

MoneyDJ理財網〈ETF排行〉，網址：https://www.moneydj.com/etf/x/rank/rank0013-1.xdjhtm?erank=click

◎加密貨幣市值統計

CoinMarketCap，網址：https://coinmarketcap.com。

Mr.Market市場先生，網址：https://rich01.com/。

◎虛擬貨幣走勢

DailyFX，網址：https://www.dailyfxasia.com/cn/ether-eth。

NOTE

快樂生活與財富投資寶典